CORRER

DRAUZIO VARELLA

Correr

O exercício, a cidade e o desafio da maratona

13ª reimpressão

Copyright © 2015 by Drauzio Varella

Grafia atualizada segundo o Acordo Ortográfico da Língua Portuguesa de 1990, que entrou em vigor no Brasil em 2009.

Capa e projeto gráfico
Rodrigo Maroja

Imagem de capa
Romilly Lockyer/Getty Images

Preparação
Márcia Copola

Checagem
Érico Melo

Revisão
Angela das Neves
Huendel Viana

Dados Internacionais de Catalogação na Publicação (CIP)
(Câmara Brasileira do Livro, SP, Brasil)

Varella, Drauzio
    Correr : o exercício, a cidade e o desafio da maratona / Drauzio Varella. — 1ª ed. — São Paulo : Companhia das Letras, 2015.

    ISBN 978-85-359-2519-7

    1. Corrida (Atletismo) 2. Lazer 3. Maratonas (Corridas)
4. Memórias autobiográficas 5. Saúde — Promoção I. Título.

15-03275   CDD-610.92

Índice para catálogo sistemático:
1. Médicos : Memórias   610.92

Todos os direitos desta edição reservados à
EDITORA SCHWARCZ S.A.
Rua Bandeira Paulista, 702, cj. 32
04532-002 — São Paulo — SP
Telefone: (11) 3707-3500
www.companhiadasletras.com.br
www.blogdacompanhia.com.br
facebook.com/companhiadasletras
instagram.com/companhiadasletras
twitter.com/cialetras

Sumário

Introdução — Sinusite, ladeira e sanduíche   7

Parte 1 — A largada, ou a vida começa aos cinquenta
Uma tarde na cidade   15
Primeiros treinos   18

INTERVALO 1
Lesões osteomusculares   29
Os joelhos   35

Parte 2 — A maratona
Maratona   41
A concentração das tropas.   44
A batalha.   48
Os Jogos Olímpicos   51
Adriana Silva   53

INTERVALO 2
Correr maratona é perigoso?.   61
Atividade física e mortalidade   64

Parte 3 — Minhas maratonas
Nova York, 1993.   69
Maratonista   76

Chicago, 2009 79

Rio de Janeiro, 2013 87

Boston 92

Boston, 2014 95

A maratona das maratonas 98

Tóquio, 2015 104

INTERVALO 3

Repercussões digestivas 115

Repercussões cardíacas 118

Repercussões renais 122

Repercussões pulmonares 124

Parte 4 — Correr, correr (*here, there and everywhere*)

Perdido em Miami 129

Os pássaros 134

Na Floresta da Tijuca 136

Haga Park 140

Lagoa Rodrigo de Freitas 142

Rio Negro 145

Parque Ibirapuera 149

INTERVALO 4

Hiponatremia 155

Desidratação 158

Parte 5 — São Paulo

O Minhocão 163

O Centro 169

Cracolândia 176

Love Story 181

INTERVALO 5

Colapso associado ao exercício 189

Exaustão pelo calor e insolação 191

Epílogo 193

INTRODUÇÃO
Sinusite, ladeira e sanduíche

Achei que conseguiria completar a prova em três horas e meia, o que significaria fazer em média um quilômetro a cada cinco minutos. Foi com essa intenção, pelo menos, que me inscrevi na Maratona de Blumenau, em 1995. Estava convencido de que, se conseguisse atingir aquela marca, seria capaz de concluir a prova de Nova York no mesmo ano, com um tempo ainda melhor.

Melhorar tempos anteriores pode virar obsessão. Quando a ideia de correr a maratona vem à cabeça pela primeira vez, o sonho é conseguir concluí-la, não importa o tempo gasto no percurso. Afinal, são 42 quilômetros. Basta correr a primeira, entretanto, para perceber que o resultado final depende diretamente da fase de treinamento e que é possível melhorá-lo, com um pouco mais de dedicação.

Daí em diante fica pior: terminar a prova em mais tempo do que gastamos na anterior sempre deixa uma ponta de frustração. Como a cada maratona estamos mais velhos, torna-se difícil dissociar a piora na performance por falta de treino daquela ligada à decadência física, companheira nefasta da passagem dos anos.

Fiz a inscrição, reservei o hotel e convidei minha filha Letícia, então com vinte anos, para me acompanhar a Blumenau.

Naquela época, eu atendia os detentos no presídio do Carandiru em consultórios improvisados no interior de celas pequenas e mal arejadas, as quais me expunham aos doentes, que tossiam e espirravam em minha direção, sem dar chance de defesa. Pegava um resfriado atrás do outro, curados espontaneamente em três ou quatro dias sem comprometer o treinamento.

Uns vinte dias antes da maratona, por azar, um desses resfriados me derrubou e fiquei sem correr por uma semana. Quando voltei, senti a fronte pesada, os músculos fracos e uma congestão nasal que me forçava a respirar pela boca. Em menos de meia hora achei melhor parar. A sinusite veio acompanhada de acessos de tosse que infernizavam minhas noites e me obrigaram a tomar dez dias de antibiótico. Ainda assim, fiz duas ou três tentativas infrutíferas de voltar às pistas.

Sem treinar havia três semanas, concluí que seria insensatez participar da prova, mas, quando ia avisar minha filha da desistência, ela falou com tanto entusiasmo da viagem, que não tive coragem de decepcioná-la. Com passagens aéreas e estadia pagas, poderíamos passear aqueles dias pela cidade, assistir à corrida e voltar no fim da tarde de domingo, conforme planejado.

Chegamos na sexta de manhã. Blumenau estava em festa, ensolarada, com faixas e cartazes de boas-vindas pelas ruas, grupos ruidosos de mulheres e homens de tênis e agasalhos esportivos por todos os lados. Encontrei vários conhecidos alegres e faladores que me perguntavam em quanto tempo esperava completar a prova. Eu estava chateado, mas bem-disposto, os sintomas da sinusite tinham praticamente desaparecido nos dois dias anteriores. O ambiente festivo, as palavras de estímulo dos companheiros e a vontade de correr falaram mais alto. Fui buscar o material.

Até aí, tudo bem. O problema é que no ônibus que nos levou

do hotel ao ponto de partida, numa estrada, sentei ao lado de um rapaz que planejava completar a prova em três horas e meia, exatamente o tempo que eu me havia proposto. Ele e os dois amigos do banco de trás tinham seguido um programa elaborado especificamente com essa finalidade.

Permanecemos juntos na concentração, conversando sobre corridas, contusões, recordes mundiais e provas anteriores, únicos assuntos que interessam a maratonistas nessas ocasiões. Partimos lado a lado e assim nos mantivemos. Um deles tinha um relógio, incrementado para a época, que emitia um bip a cada cinco minutos. Quando atingimos o marco do quilômetro 15, depois de 75 minutos de prova, achei que estava tão bem quanto meus três companheiros, apesar de pelo menos dez anos mais velho.

Seguimos rigorosamente no mesmo passo até completar trinta quilômetros em exatos 150 minutos. Um pouco à frente veio o obstáculo mais temido da prova de Blumenau daquele tempo: uma subida nem tão íngreme, porém interminável. Tentei manter o ritmo, mas senti que precisava diminuir a velocidade, e avisei-os para continuar sem mim.

Naquele trecho, cada curva da estrada parecia trazer o fim da ladeira, impressão frustrada ao atingi-la e constatar que a subida se prolongava até a virada seguinte. Foram quatro ou cinco curvas assim, já não recordo, só ficaram as memórias do esforço, do frescor da mata virgem ao lado, do sol e da ambulância que passou por mim, com um rapaz de branco sentado na parte traseira, de porta aberta: "Tudo bem com você?". Respondi que sim, ele insistiu: "Tudo bem mesmo?".

Fiquei impressionado com a organização: uma ambulância para saber como estava cada corredor. No entanto, para minha surpresa, o carro seguiu sem perguntar nada a mais ninguém, até sumir de vista. Achei estranho. O rapaz teria notado em minha aparência sinais de exaustão que me fariam abandonar a prova?

A julgar pelo número de vezes que ouvi os demais darem graças a Deus e gritarem impropérios quando a subida acabou, imaginei que o sacrifício havia sido igual para todos. Estava enganado.

As dores nas pernas eram como torniquetes que apertavam progressivamente as panturrilhas e a face anterior das coxas. Os que vinham de trás me ultrapassavam com facilidade. Ao atingir o quilômetro 40, exausto, senti que não conseguiria chegar ao fim. Não tive dúvida de que seria mais sensato desistir. O problema é que terminar a prova andando, para quem imaginava completá-la em tempo recorde, tem sabor de derrota.

Para a autoimagem, desistir no quilômetro 40 ou no 15º dá na mesma. Parar de correr quando faltam apenas dois quilômetros talvez seja pior, da mesma forma que deve ser maior a frustração do náufrago ao perceber que morrerá na praia. Além do mais, minha filha me esperava. Que decepção ver o pai surgir caminhando entre os corredores, destruído.

Na curva do quilômetro 41 enxerguei a aglomeração do público e a faixa de chegada. Foi até mais penoso. Acho que sofri naqueles 1200 metros finais mais do que na vida inteira. As pernas eram um poço de dores, a cabeça flutuava como se pretendesse abandonar o corpo, em cada pé havia um saco de açúcar de cinco quilos que nos últimos quinhentos metros já pesava vinte; levantá-lo do chão a cada passada era um exercício de halterofilismo. Meu aspecto físico devia estar tão deplorável que um rapaz da plateia passou por baixo da cerca lateral e correu mais de cem metros a meu lado, repetindo palavras de incentivo que soavam insólitas. Demorei a reconhecê-lo. Era um amigo de adolescência com quem eu tinha perdido contato fazia mais de vinte anos.

Terminei a prova em três horas e cinquenta minutos. No funil da chegada, minha filha acenou com os dois braços e gritou meu nome. Ao passar por ela, pedi que me encontrasse no ônibus estacionado a cem metros. Se parasse para abraçá-la junto à grade que nos separava, o saco de açúcar, agora com cinquenta quilos, me pregaria no chão para sempre.

Escalar os três degraus do ônibus foi penitência mais sofrida do que subir de joelhos a escadaria da igreja da Penha. Com a diferença de que Jesus, em sua infinita misericórdia, deve prover de resignação e resistência à dor os fiéis cumpridores de promessas, enquanto abandona à própria sorte maratonistas insensatos.

Quando sentei, as dores e a exaustão se tornaram tão insuportáveis que tive vontade de chorar; muita vontade. Só não o fiz por vergonha dos que estavam perto. Minha filha tentou massagear minhas pernas, mas recuou, assustada com o gemido que dei.

No assento ao lado, um corredor jovem cochilava com a cabeça despencada sobre o tórax. De quando em quando despertava, levava à boca o blusão que segurava, ameaçava vomitar, respirava fundo, endireitava o corpo, olhava para mim, murmurava: "Tá foda", pegava no sono, e de novo a cabeça despencava.

Um rapaz à paisana se aproximou do meu banco: "Também sou médico e corredor. Estava inscrito, mas tive que desistir por causa de uma contusão. Já passei por esse estado. Aceita um conselho? Um copo de cerveja vai te reanimar".

Minha filha levantou para ir até o local onde distribuíam cerveja para os corredores, prática contraindicada pelos especialistas e que nunca vi em outras maratonas. Mas estava tão desavorado que teria aceitado até injeção de estricnina. Consegui tomar meio copo. Num passe de mágica fui alçado das profundezas do quinto círculo do Inferno de Dante, o sangue voltou à pele e a cabeça foi devolvida ao corpo, acontecimento que me fez vislumbrar algum prazer em estar vivo. Em contrapartida, quebrou parte do barato zen que as endorfinas trazem no fim dos 42 quilômetros.

Voltamos para São Paulo às cinco da tarde. No avião, uma tragédia nos esperava, sob a forma de um pequeno sanduíche de carne assada. Eu, que tenho por hábito não aceitar, em voos curtos, lanchinhos emborrachados com gosto de isopor, acabei por fazê-lo para acompanhar minha filha.

Nos últimos degraus do avião, na pista de Congonhas, a humilhação suprema: ao ver minha dificuldade, o funcionário junto à escada deu dois passos solícitos e me estendeu as duas mãos. Descer escada é a pior provação para quem acabou de correr 42 quilômetros, mas dar a impressão de que você precisa ser amparado com as duas mãos para não cair é o fim.

Deitei cedo. Fiquei com medo de que as dores nas pernas me impedissem de pegar no sono, mas resisti à tentação do anti--inflamatório; não gosto de tomar remédio depois de corridas tão longas.

Acordei às duas da madrugada com a boca cheia de saliva e corri para o banheiro. Vomitei até os músculos do tórax doerem. Aliviado, voltei para a cama. Dez minutos mais tarde tive que levantar outra vez. Foi uma das piores gastroenterocolites da vida. Cheguei a desistir da cama e a levar o travesseiro para o banheiro.

Na manhã seguinte, os músculos das pernas, castigados pelo esforço da véspera e pelas toxinas do famigerado sanduíche, estavam dilacerados. Sair do carro no estacionamento do hospital foi um parto a fórceps. Mal dei o primeiro passo, um colega veio em minha direção:

— Nossa! Que aconteceu? Foi operado?

— É que ontem corri uma maratona.

— Quarenta e dois quilômetros?

Respondi que sim.

Ele replicou com olhar de comiseração:

— Isso faz mal para o ser humano.

PARTE 1

—

A LARGADA, OU A VIDA COMEÇA AOS CINQUENTA

Uma tarde na cidade

Homem que é homem veste terno e vai para a cidade, aprendi quando pequeno. Não que me houvessem ensinado, mas no bairro operário de São Paulo em que morávamos existia uma barreira bem definida entre as crianças no futebol da calçada, os adolescentes com macacão de trabalho e marmita a caminho das fábricas e os homens de paletó e gravata que iam ao Centro para pagar a luz, a água, o telefone, os impostos ou depositar o salário no banco.

Em minha imaginação, a vida adulta também me encontraria na cidade, de terno cinza, gravata escura, óculos e capa de chuva, acessórios que considerava essenciais para a elegância masculina.

Passados tantos anos, ainda conservo o fascínio pelo Centro antigo, região que a maioria dos mais jovens desconhece. A familiaridade com os nomes e o traçado das ruas, a arquitetura da primeira metade do século XX, a imponência das portas dos prédios, as fachadas art déco e a multidão de transeuntes evocam imagens e sensações da época em que eu andava por lá, agarrado à mão protetora de meu pai.

Num mês de dezembro, 22 anos atrás, enquanto a paisagem do Centro antigo me trazia memórias da infância, um tipo grandalhão que vinha em sentido contrário nas proximidades do largo São Bento segurou meu braço, sorriu e fez a pergunta que deveria ser proibida por lei federal: "Lembra de mim?". Tentativas malogradas para localizar personagens como aquele, esquecidos em algum escaninho, só lhes ressaltam o prazer de atormentar suas vítimas.

Por sorte, após alguns segundos de constrangimento que meu algoz saboreou com sadismo risonho, reconheci em seu rosto uma expressão longinquamente familiar. Arrisquei o nome e o sobrenome de um colega de turma do antigo ginásio, no Liceu Pasteur. Ele abriu um sorriso e anuiu com a cabeça, como se o feito de lembrar de um homem com quarenta quilos a mais, sem cabelo, com quem eu perdera contato havia 35 anos fosse mera obrigação.

A conversa foi um monólogo arrastado em que ele falou sobretudo do passado, dos filhos e contou as gracinhas dos cinco netos, a alegria de sua vida de funcionário público aposentado aos 52 anos. Aguardei mudo a primeira chance para fugir daquele astral deprimente. Quando consegui, ele quis saber minha idade, curiosidade única a meu respeito. Respondi que estava com 49 e apertei sua mão em despedida. Sem largar dela, meu ex-colega do Liceu adquiriu ar solene: "Ano que vem, cinquenta, idade em que tem início a decadência do homem".

Retomei o caminho, com a história da decadência na cabeça. Atolado em trabalho, cheio de ideias e desejos para realizar, eu vivia numa efervescência intelectual oposta à do amigo aposentado. Não sentia no corpo o peso da idade; ao contrário, estava sem fumar havia treze anos, abstinência que me devolvera o fôlego e a atenção aos reclamos do corpo. Tinha até começado a correr num ou noutro fim de semana, prática ocasional que todos consideravam desaconselhável.

Quando cheguei ao largo, o carrilhão da igreja de São Bento anunciou a hora, melodia que trouxe à lembrança as missas fúnebres de parentes e amigos de meus avós, às quais eu assistia fascinado pela estética da liturgia e pela harmonia sonora do latim: "*Dominus vobiscum et cum spiritu tuo*",* o cálice de prata que o padre levantava, o dourado do manto, a vibração do sino do coroinha, a pose constrita dos fiéis ao voltar para seus lugares depois de receber a hóstia, meus joelhos magros no flagelo do genuflexório de madeira, a choradeira das mulheres de véu e as lágrimas que cintilavam no rosto dos homens com fitas pretas costuradas na lapela do paletó. Éramos expostos mais cedo ao mistério da morte, naquele tempo.

Ao som dos sinos, nasceu a ideia de me propor um desafio para provar que a decadência não começaria aos cinquenta, no meu caso. Decidi correr a Maratona de Nova York, em novembro do ano seguinte. Quem consegue correr 42 quilômetros deve ser capaz de enfrentar o futuro com mais otimismo e sabedoria, pensei.

Escolhi Nova York porque foi na pista em torno do Reservatório do Central Park que corri pela primeira vez, no início da década de 1980, em companhia do querido e inesquecível Luís Nasr, pintor talentoso, que nos privaria do convívio com seu humor e inteligência brilhante trinta anos mais tarde.

---

* "O senhor esteja convosco e com o vosso espírito."

Primeiros treinos

Eu entendia de preparação física para corredores de maratonas tanto quanto de edificação de arranha-céus. Sabia apenas que precisaria de determinação e disciplina para correr antes de ir para o trabalho e aumentar gradativamente as distâncias percorridas a cada vez.

O ideal seria contar com os préstimos de um preparador, mas, com a vida que eu levava, ficaria impossível cumprir a rotina metódica dos treinos em dias fixos. Como agendar horários logo cedo, sem saber se passaria a madrugada acordado por um paciente grave? A alternativa era conciliar as exigências da profissão, treinando quando possível, pelo tempo que pudesse, ou desistir da ideia.

Comecei a me preparar no início de janeiro de 1993. Naquela época, deixava minhas filhas na escola às sete horas. Quando podia chegar ao hospital um pouco mais tarde, dirigia até o Parque Ibirapuera para correr trinta minutos que fossem, em passadas rápidas, no limite do fôlego. Se estivesse mais folgado, corria mais tempo, em passo lento. Com a alternância senti que ganhava velocidade e resistência. Em três meses pude completar quinze quilômetros; no fim de abril, já conseguia correr doze quilômetros em uma hora.

No domingo 3 de maio, dia em que fiz cinquenta anos, planejei completar 24 quilômetros, exagero que um técnico de bom senso teria contraindicado. Acordei cedo, tomei um suco e fui para o Ibirapuera. A manhã estava quente. Não sei quanto tempo levei, mas lembro que saí bem cansado do parque, com uma sensação de paz interna tão plena como nunca havia experimentado.

Entrei no carro e fui visitar meu pai. Deitei no tapete da sala de visitas, ao lado da poltrona dele, sem vontade de conversar para não sair daquele estado de exaustão transcendental. Quando contei que me preparava para correr uma maratona dali a seis meses, ele levantou os olhos do jornal: "Você é louco, filho".

A mesma desconfiança a respeito da sanidade mental foi demonstrada pelos amigos, quando souberam. Lamentavam a falta de discernimento, riam, pediam que contasse outra piada, diziam que eu morreria no percurso e que cinquenta anos era idade precoce para as primeiras manifestações do mal de Alzheimer, reações previsíveis numa época em que quase ninguém no Brasil praticava corrida com regularidade.

Correr nas ruas chamava a atenção dos transeuntes, alguns dos quais faziam comentários jocosos ou cara de assustados. Foi o que aconteceu num fim de semana com a família numa pousada da Fazenda Intervales, então dirigida por meu sogro, Cyro Braga, agrônomo e funcionário público do tempo antigo, que cuidava da preservação da área como se fosse seu fiel depositário. Essa unidade de conservação faz parte de um parque com mais de 41 mil hectares no interior de São Paulo. A floresta é um cenário cinematográfico de relevo montanhoso, com planícies alagadas, cavernas, resquícios das estruturas de pedra que os bandeirantes construíram para extrair ouro do leito dos rios e uma das maiores biodiversidades já descritas. É a mais extensa área remanescente da Mata Atlântica do Brasil.

Na manhã de sábado, bem cedo, saí para correr com a intenção de chegar até uma velha pedreira que me disseram estar situada a mais ou menos oito quilômetros do alojamento, se bem me recordo. Corri com grande prazer, por uma estradinha de terra no meio da mata em que havia árvores centenárias, distraído com a paisagem que mudava a cada curva do caminho.

Quando imaginei estar próximo, encontrei um senhor que vinha no sentido oposto, um homem de idade indefinida, com o rosto maltratado pelo sol, bota-borzeguim e chapéu de palha. A figura lembrava a do caipira que Mazzaropi interpretava no cinema dos anos 1950. Preocupado com a distância que devia percorrer na volta, aproveitei para perguntar quanto faltava para chegar à pedreira. Ele disse que estávamos a menos de um quilômetro, e quis saber de onde eu vinha. Quando respondi que era da pousada da Intervales, fez ar de espanto: "Aconteceu alguma coisa lá?".

Para o comum dos mortais, quem corria eram as crianças e os que fugiam de algum perigo. Maratonas, então, nem pensar; eram provas absurdas que só africanos esquálidos ousavam enfrentar. Nas viagens para congressos no exterior, no entanto, eu me surpreendia com o número de mulheres e homens correndo nas ruas, imagem inexistente na paisagem urbana de São Paulo. Nos domingos de sol, o Central Park, em Nova York, era invadido por hordas de corredores geralmente jovens, mas alguns com bastante idade.

Os benefícios da atividade física não faziam parte das preocupações da medicina da década de 1990. Sabíamos dos problemas cardiovasculares causados pela vida sedentária, mas não lhes dávamos a devida importância, porque havia poucos estudos conduzidos com metodologia científica. Os malefícios do excesso de peso apenas começavam a ser mencionados; a epidemia mundial de obesidade estava em seus primórdios.

A antiga recomendação de que os mais velhos deveriam fazer repouso e evitar esforços — dogma que dominou a prática médica durante séculos — já havia sido abandonada, mas ainda levaria anos para que os médicos adotassem a conduta de dar ênfase à importância da atividade física na prevenção de doenças e na sensação subjetiva de bem-estar.

Já nos primeiros treinos, experimentei o impacto do exercício aeróbico no condicionamento físico. Perdi dois ou três quilos que não me faziam falta, ganhei músculos nas pernas, fôlego para subir escadas, mais disposição para enfrentar as atividades diárias, descobri o prazer que um humilde banquinho de madeira pode proporcionar ao corpo cansado e o alívio dolorido que a cama traz à musculatura das pernas, à noite.

O ganho mais surpreendente, porém, veio do lado psicológico. A sensação de paz que se instalava no fim das corridas deixava rastros pelo resto do dia. Já no banho da manhã, quando eu pensava nos compromissos que me aguardavam, tinha certeza de que seria capaz de cumpri-los. Consegui controlar melhor a ansiedade e a agitação da vida atribulada que sempre levei, tornei-me mais confiante e disciplinado. Ganhei serenidade.

Por outro lado, senti na carne o tormento que é levantar da cama de madrugada para correr. Passados mais de vinte anos, meu primeiro quilômetro ainda é dominado por um único pensamento: não há o que justifique um homem passar pelo que estou passando. Existe sofrimento mais atroz do que deixar a cama quente, no horário em que o sono é mais arrebatador, vestir o calção, a camiseta e calçar o tênis para sair correndo?

É só depois do primeiro quilômetro, quando as sucessivas contrações musculares enviam sinais para que o cérebro libere endorfinas na circulação, que o exercício se torna suportável. O bem-estar que a atividade física traz e a tranquilidade que toma conta do corredor só acontecem, de fato, no fim da corrida.

Se ouço alguém dizer que acorda cheio de vontade para correr, nadar, pedalar ou levantar peso na academia, por educação fico calado, mas duvido que seja verdade. Essa disposição pode acontecer num dia de sol, na praia ou num sítio, entre amigos, no dia a dia jamais.

Por que tanta gente reconhece que a atividade física é essencial para a saúde mas não consegue abandonar a vida sedentária? Por uma razão simples: praticar exercícios vai contra a natureza humana. Nosso ideal é o almoço do domingo, em que comemos até mais não poder e levantamos da mesa para chafurdar no sofá (os mais descarados, na cama). Assim agimos porque animal nenhum desperdiça energia. Alguém já viu uma onça dando um pique no zoológico ou uma girafa correndo depois do almoço para perder a barriga?

Descontadas as brincadeiras que fazem parte do aprendizado na infância, os animais só gastam energia atrás de comida, sexo ou para fugir de predadores. Na ausência dessas três motivações vitais, repousam para economizá-la. Num mundo permanentemente assolado pela fome, a seleção natural privilegiou aqueles que souberam aproveitar com sabedoria a energia dos alimentos.

Quando se trata de fazer exercício, cai sobre nossos ombros o peso de milhões de anos de evolução, que nos arremessa contra o sofá ou nos prende à cama. É incrível como nos tornamos criativos então, capazes de invocar mal-estares súbitos, noites maldormidas, digestão pesada, fraqueza, indisposição, compromissos inadiáveis, ameaça de resfriado, possibilidade de chuva, calor ou frio, para não mencionar a variedade de dores incapacitantes que nos afligem exclusivamente nessa hora.

Logo depois, humilhados e humildes, juramos que no dia seguinte nos redimiremos, acordaremos mais cedo para correr o dobro ou o triplo dos quilômetros que havíamos planejado percorrer. No outro dia, no entanto, a preguiça e as justificativas esfarrapadas de sempre. Em uma semana o sedentarismo estará acomodado confortavelmente em nosso espírito. A vontade de passar a vida numa poltrona é tão avassaladora, que o esforço de meses de treinamento vai por água abaixo em poucos dias de inatividade.

Certa vez, quando eu treinava numa pista de pedregulhos entre as árvores do Ibirapuera, um rapaz que corria muito mais rápido reduziu a velocidade e puxou conversa. Contou que tinha vindo do Ceará fazia dois anos, que trabalhava de guarda-noturno na casa de uma senhora, na rua de trás do parque, e que todos os dias, às seis da manhã, horário em que chegava o guarda do dia para rendê-lo, ele aproveitava para correr. Depois, tomava banho, o café e ia para a cama.

Havia uma diferença limitante entre nós: ele tinha metade da minha idade e um corpo atlético que lhe permitia completar 21 quilômetros em uma hora e quinze minutos. Mesmo sem falar, em pouco tempo perdi o fôlego. Pedi que continuasse sozinho, não queria atrapalhá-lo, mas ele novamente diminuiu a velocidade e insistiu em seguir a meu lado, uma vez que já correra mais de uma hora naquela manhã. Para ele devia ser tão difícil acompanhar meus passos quanto para mim era difícil acompanhar os dele, porque em poucos minutos já me faltava o ar outra vez. Assim foi o tempo todo: eu reclamando, ele prometendo ir mais devagar.

Desse dia em diante, o cearense se transformou num verdugo implacável. Quando eu menos esperava, aparecia sorridente, com a falsa promessa de não forçar meu ritmo, segundo ele ideal para desacelerar os músculos de quem já tinha corrido mais de uma ou duas horas. A tortura a que fui submetido pelo carrasco nordestino teve o mérito de me tornar mais veloz. Uma manhã de setembro, corremos 21 quilômetros em noventa minutos exatos.

Nada mau para um homem de cinquenta anos que havia começado a treinar em janeiro.

Peguei gosto pela velocidade. Já era capaz de fazer catorze quilômetros em uma hora, embora com dificuldade. Fiquei com esperança de completar os 42 em três horas e meia, ou menos, quem sabe. No início de outubro, quando faltava um mês para a prova, cismei de atingir a marca de quinze quilômetros em uma hora. Para quem já tinha feito 14,3, não soava como pretensão desmedida.

Fui decidido para o parque, e corri no limite das forças. Nos dois últimos quilômetros, forcei ainda mais o passo. Quando o cronômetro marcou uma hora, eu mal tinha completado 14,6 quilômetros; estava sem ar, exausto, e com um peso no lado externo da panturrilha direita que no caminho até o carro começou a incomodar. No decorrer do dia, a sensação de peso se transformou em dor. À noite, tive que tomar um anti-inflamatório; na manhã seguinte levantei mancando. Fiquei assustado: nove meses de treinamento, tanto esforço e disciplina, para acabar assim?

Sofrer uma lesão por acidente é uma coisa, por estupidez é outra, muito mais frustrante. O idiota precisava forçar com aquela intensidade, um mês antes da prova? Essa recriminação não me saiu da cabeça durante os três ou quatro dias longe das pistas, à espera de uma melhora.

Resolvi procurar ajuda. Conversei com os colegas para saber quem eram os especialistas em medicina do esporte. Não havia muitos naquele tempo. Quase todos eram ortopedistas com treinamento cirúrgico, pouco experientes em lesões musculares provocadas por sobrecarga.

Ouvi quatro opiniões diferentes, no geral contraditórias. Três tentaram me convencer de que maratonas requerem esforços sobrenaturais, que destroem as articulações e não respeitam a fisiologia das contrações musculares, especialmente no caso de um homem com cinquenta anos. Afirmavam que o esforço exigido para completá-las era prejudicial ao organismo, que o sistema cardiovascular podia sucumbir diante dele e que a arquitetura das articulações ruiria sob o impacto das passadas, entre outras advertências assustadoras.

Um dos colegas me fez deitar de bruços, passou dois dedos pela panturrilha e sentenciou: "Esquece a maratona, você rompeu o músculo". Voltou para a mesa, escreveu o endereço de uma fisioterapeuta, levantou e me esticou a mão em despedida. Não fiquei amedrontado. Já tinha visto radiologistas experientes com dificuldade para fazer o diagnóstico de rupturas musculares, mesmo com o ultrassom e a ressonância magnética em mãos.

No fim, quem me ajudou foi um colega ortopedista que encontrei no corredor do hospital: "Essas lesões são comuns em quem pisa em pronação. O peso cai com mais força sobre o lado externo do pé e traciona exatamente os músculos que estão doendo".

Voltei a correr quando faltavam apenas duas semanas para a prova, dessa vez atento para corrigir a posição do pé direito. Havia perdido quinze dias preciosos, voltado bem mais devagar e, ainda por cima, com medo. Lamentei a falta da orientação de um preparador experiente, com um programa de treinamento bem planejado.

Dez dias antes da maratona, fiz um treino de trinta quilômetros. Naquela época diziam que era essa a distância máxima permitida na fase de treinamento, regra a que eu desobedeceria diversas vezes, porque jamais fez sentido para mim.

INTERVALO 1

LESÕES OSTEOMUSCULARES

O rigor do treinamento e o esforço exigido para completar a prova submetem a estresse a musculatura e as articulações dos membros inferiores. O impacto repetitivo de cada passada transmite ao resto do corpo forças estimadas em duas a três vezes o peso corpóreo do corredor.

Um estudo realizado com participantes da Maratona de Auckland, na Nova Zelândia, procurou avaliar por meio de questionários as relações existentes entre peso corpóreo, altura, experiência prévia em maratonas, tempo e intensidade dos treinamentos, prática de alongamento e aquecimento antes de começar a correr, participação em outros esportes (natação, ciclismo etc.), lesões osteomusculares ou doenças que afetaram o programa de treinamento, uso atual de anti-inflamatórios, medicamentos para asma, pressão alta e diabetes, consumo de álcool e fumo.

As informações sobre lesões precoces foram colhidas nas tendas de atendimento armadas no percurso. As mais tardias vieram pelo correio, nas páginas dos questionários enviados aos participantes com perguntas a respeito de lesões, machucados e problemas de saúde ocorridos durante a prova, imediatamente depois dela e nos sete dias seguintes.

As principais conclusões do estudo foram:

1. Os homens correram mais risco de contraturas e dores na musculatura da parte de trás da coxa e da panturrilha. As mulheres ficaram mais sujeitas a dores nas articulações da bacia.

2. Dores nos joelhos foram relatadas por 25,6% dos participantes. O risco foi maior nos que disputavam a primeira maratona e naqueles que haviam corrido menos quilômetros semanais no período de treinamento anterior às duas semanas que precederam a prova.

3. Embora exerçam efeito protetor para os joelhos, treinamentos mais intensivos aumentaram a probabilidade de dores e contraturas na musculatura anterior e posterior da coxa.

4. Lesões prévias na metade inferior do corpo, que afastaram o corredor dos treinos por pelo menos cinco dias, não aumentaram a incidência de lesões durante a corrida.

5. Surgiram bolhas nos pés de 40% dos corredores.

6. Aquecimento e alongamento antes dos treinos e da prova não diminuíram nem aumentaram o número de lesões.

7. Lesões dos músculos da coxa foram menos frequentes nos participantes com mais de quarenta anos. A explicação seria o "fenômeno da sobrevivência", de acordo com o qual os mais velhos que ainda correm teriam sobrevivido às contusões e aos problemas de saúde que tiraram das pistas companheiros da mesma faixa etária.

8. Não houve relação entre o índice de massa corpórea (IMC = peso/altura ao quadrado) do corredor e o risco de lesões musculares ou outros problemas de saúde.

A popularidade das maratonas tem crescido de forma contínua desde quando corri a primeira prova, em Nova York. Num período de dez anos, houve 80% de aumento no número de corredores que completaram os 42 quilômetros, nas competições realizadas nos Estados Unidos. Eram 295 mil em 2001, número que em 2011 subiu para 525 mil. Há tantos corredores, que maratonas mais concorridas como as de Berlim, Londres, Chicago, Nova York ou Tóquio selecionam os participantes por sorteio.

Trabalhos mais antigos mostravam que a incidência de lesões osteomusculares durante a prova ou imediatamente depois dela variava de 16% a 92%, conforme o critério adotado. No fim da década de 1980, Walter e Macera encontraram evidências de que treinamentos semanais com mais de 64 quilômetros constituíam fator de risco para a ocorrência de contusões. Com base nesses estudos, muitos especialistas adotaram a norma de reduzir as distâncias percorridas nos treinos.

Numa revisão publicada em 2012, Nielsen e colaboradores questionaram esse critério. Verificaram que maratonistas capazes de correr mais de duzentos minutos semanais apresentavam, em média, dez lesões osteomusculares para cada mil horas de treinamento, número que nos menos preparados variava de 30 a 38.

Pesquisadores dinamarqueses estudaram a questão na Maratona H. C. Andersen, na cidade de Odense, em setembro de 2011. Através de um questionário enviado por e-mail nove dias depois da prova, o grupo procurou identificar a ocorrência de lesões causadas pela maratona, definidas como as que "acometeram músculos, tendões, articulações e ossos". De acordo com o volume dos treinos, os maratonistas foram divididos em três grupos: abaixo de 30 km/semana, entre 30 e 60 km/semana, e acima de 60 km/semana. Outros fatores também foram considerados: história de lesões nos doze meses anteriores à prova, idade, sexo, índice de massa corpórea, número de maratonas corridas e a distância percorrida no treino mais longo das seis semanas precedentes.

Lesões osteomusculares ocorreram em 10,3% dos 662 participantes que responderam aos questionários. O risco entre os que correram menos de 30 km/semana na fase de treinamento foi 2,34 vezes superior ao daqueles que ficaram entre 30 e 60 km/semana. Entre estes e os que somaram mais de 60 km/semana não houve diferença significante.

O risco foi mais alto entre os corredores com menos de 35 anos de idade (2,3 vezes maior), entre os que corriam sua primeira maratona (o dobro) e entre aqueles com lesões prévias. Sexo, índice de massa corpórea e a distância percorrida no treino mais longo nas seis semanas anteriores não interferiram nos riscos.

Na prevenção de lesões, o limite de 30 km/semana nos treinos que antecedem a maratona é bem mais baixo que o de 60 km/semana nos dois ou três meses anteriores à prova, encontrado por Kretsch na Maratona de Melbourne, em 1980. Uma relação inversa entre o número de milhas corridas por semana e o risco de lesões musculoesqueléticas no dia da maratona também foi descrita por Caselli na Maratona de Nova York, em 1997.

Considerando que outros estudos também dão suporte ao efeito protetor do aumento das distâncias percorridas nos dois ou três meses que antecedem a prova, não há evidências científicas para fixar o limite de 60 km/semana, nessa fase. Parece que, quanto mais o atleta corre nos treinos, mais protegido fica, haja vista o número de quilômetros percorridos pelos corredores de elite na fase de treinamento.

Correr em pistas com declive aumenta o risco de lesões no quadríceps (o músculo robusto da face anterior da coxa), porque o obriga a funcionar como breque, submetendo-o a um estresse mais intenso do que nas subidas ou em terrenos planos.

Um dos problemas mais preocupantes nas corridas de longas distâncias é a rabdomiólise, processo consequente à ruptura maciça de fibras musculares, que pode causar complicações que vão da exaustão muscular a alterações cardíacas, renais e metabólicas. É preciso suspeitar de rabdomiólise quando logo depois da corrida surgirem: dores musculares mais fortes e persistentes; febre baixa, com ou sem calafrios, e urina escura que mancha a roupa.

O diagnóstico é feito por meio de um exame de sangue, no qual é dosada uma enzima, a creatinoquinase (CK): o indicador mais sensível da microdestruição das fibras musculares. Na população geral, aumentos de cinco vezes nos valores de CK são considerados indicativos de rabdomiólise. Nos maratonistas as elevações acontecem duas a doze horas após a agressão muscular e se mantêm por mais um a três dias. Na quarta hora depois do final da prova o aumento médio é de 540%. A maioria dos corredores elimina o excesso de CK através da hidratação oral adequada. Nos casos mais graves, particularmente naqueles associados à desidratação, há necessidade de reposição intensiva de líquido por via intravenosa.

Cuidado especial deve ser tomado pelos corredores que fazem tratamento com estatinas para reduzir os níveis de colesterol, porque um dos efeitos colaterais dessa classe de medicamentos é exatamente a toxicidade muscular, que em geral se manifesta por dores nas pernas e elevação dos níveis sanguíneos de CK. Esses corredores precisam avaliar com seus médicos a conveniência de suspender o tratamento por alguns dias, antes da prova.

Embora maratonistas apresentem duas a três vezes mais risco de lesões musculoesqueléticas do que corredores de distâncias mais curtas, não existem evidências de que tais problemas provoquem limitações crônicas ou definitivas.

A intensificação dos treinos à medida que a prova se aproxima eleva o risco de lesões e amedronta o corredor. Não é tarefa simples conciliar a necessidade de percorrer distâncias cada vez mais longas, aumentar a velocidade, e ao mesmo tempo evitar distensões musculares e estiramentos de tendões e ligamentos causados pelo uso exagerado. No calor do esforço preparatório, nem sempre é perceptível o limite de resistência dos músculos e articulações; ultrapassá-lo justamente nas semanas que antecedem a prova é muito fácil.

Nada é mais frustrante do que ser forçado a desistir de uma maratona depois de meses de esforço e disciplina. Um corredor profissional me ensinou uma medida elementar que tem me ajudado nos treinamentos mais pesados: "Doeu, diminua a velocidade. Se a dor não passar, pare imediatamente".

OS JOELHOS

Uma das crenças mais disseminadas entre os que não correm é a de que os joelhos são destruídos no esforço dos 42 quilômetros.

Parece lógico, até: em cada passada, as forças balísticas geradas pelo impacto do peso do corpo contra o solo seriam transmitidas para os joelhos e lesariam progressivamente as cartilagens encarregadas de amortecer os choques e manter lubrificadas as superfícies articulares. A repetição dos impactos levaria à perda da elasticidade e à desidratação do tecido cartilaginoso que caracterizam as osteoartrites, popularmente conhecidas como artroses. Na mesma linha de raciocínio, andar seria atividade de baixo impacto tradicionalmente recomendada pelos médicos para as pessoas mais velhas, com a finalidade de conferir os benefícios do movimento sem forçar os joelhos. Essas suposições, entretanto, vão contra evidências científicas mais consistentes. Desde que os joelhos do principiante estejam previamente saudáveis, correr não aumenta o risco de artrite, mesmo nos mais velhos.

Num estudo recente publicado na revista *Medicine & Science* *in Sports & Exercise*, com o título "Why Don't Most Runners Get Knee Osteoarthritis",* pesquisadores da Queen's University, no Canadá, avaliaram quase 75 mil participantes, "sem encontrar nenhuma evidência de que correr aumente o risco de artrite, mesmo nos corredores de maratonas". Na verdade, chegaram à conclusão oposta: "Artrite dos joelhos é mais frequente entre as pessoas menos ativas".

Até a publicação desse estudo — considerado o mais completo até hoje —, os especialistas jamais haviam comparado diretamente as forças que convergem para os joelhos ao caminhar ou correr determinada distância. Para fazê-lo, sete mulheres e sete homens habituados a correr com intenção recreativa tiveram que andar descalços determinada distância (15,24 m), numa esteira, com sensores atados aos braços e pernas, ligados a câmeras que capturaram os movimentos e as forças geradas cada vez que os pés tocavam o solo. O mesmo percurso foi repetido cinco vezes na velocidade em que o participante estava acostumado a treinar.

Como previsto, o impacto ao correr foi bem maior. Em média, o corredor atinge o solo com forças de cerca de oito vezes o peso corpóreo — três vezes maiores do que o impacto sofrido ao andar. Quando corremos, porém, as passadas são mais largas, os pés se chocam contra o solo com frequência menor do que no caminhar e ficam menos tempo em contato com o chão. Como consequência, as sobrecargas nos joelhos ao corrermos ou ao andarmos determinada distância são equivalentes. É provável que correr até exerça efeito protetor.

Em entrevista a Gretchen Reynolds, jornalista do *New York Times*, um dos autores do estudo, Ross Miller, afirmou: "Há evidências de que as cartilagens gostem de sobrecargas cíclicas (sobrecargas alternadas com repouso)". Chegou-se a essa conclusão

---

* "Por que a maioria dos corredores não desenvolve artrite nos joelhos."

ao verificar os resultados de pesquisas feitas com animais: sobrecargas cíclicas estimulam as células cartilaginosas a se dividir e repor as que morreram, já sobrecargas não cíclicas ou continuadas, sem intervalos de repouso, ocasionam mais perdas do que reposição celular.

Em outro estudo, intitulado "Effects Of Running and Walking on Osteoarthritis and Hip Replacement",* realizado no Lawrence Berkeley National Laboratory, na Califórnia, foram comparados corredores e praticantes de caminhadas. Durante sete anos de acompanhamento, 2,7% dos corredores apresentaram osteoartrites diagnosticadas por médicos e 0,3% precisaram ser submetidos à cirurgia para colocação de próteses de cabeça do fêmur. Já entre os participantes que apenas faziam caminhadas, 4,7% receberam o diagnóstico de osteoartrite e 0,8% colocaram próteses. Em linhas gerais, podemos dizer que o risco de osteoartrites e de necessidade de colocação de próteses de quadril entre os corredores foi cerca de duas vezes mais baixo.

De minha parte, depois de vinte anos de treinamentos intensivos e maratonas cheguei aos setenta anos de idade sem nunca ter sentido dor nos joelhos ou nas articulações coxofemorais, experiência que confirmaria essas observações. Ou será que serve apenas para me incluir na categoria dos sobreviventes?

---

* "Efeitos de correr ou caminhar nas osteoartrites e próteses de quadril."

PARTE 2

—

A MARATONA

Maratona

Sempre achei mal contada a história do guerreiro que correu de Maratona a Atenas para levar a notícia da vitória na batalha contra os persas.

Segundo a lenda, o rapaz teria gastado seis horas para percorrer os tais 42 quilômetros, avisado que os atenienses haviam derrotado os persas e morrido de exaustão, depois de balbuciar o nome da deusa grega da vitória: Nike — 2500 anos mais tarde rebaixada à categoria de marca de material esportivo.

Vamos lembrar que nas maratonas atuais, passadas seis horas do início da prova, os organizadores retiram as barreiras e reabrem as ruas para o tráfego, não obstante haja um ou outro retardatário. Se já é difícil acreditar que o soldado mais veloz do intrépido exército ateniense corresse tal distância em tempo tão medíocre, que dizer do vexame de cair morto?

Não bastasse essa inconsistência, ficaria a dúvida da medição do tempo: se o guerreiro sucumbiu ao pronunciar o nome da deusa Nike, como foi possível, sem chip nem relógio de pulso, saber o horário exato em que partiu de Maratona? Teriam medido com precisão as seis horas cravadas, com base unicamente na posição do Sol?

Em busca de esclarecimento, fui atrás dos escritos de Heródoto, nascido em 484 a.C., em Halicarnasso, cidade da Ásia Menor, então sob domínio persa. Heródoto é considerado o Pai da História por haver descrito pela primeira vez as Guerras Greco-Persas travadas até 449 a.C., com métodos historiográficos usados ainda hoje.

No ano 500 a.C., o jovem Império Persa dava os primeiros passos expansionistas. O rei Dario, usurpador do trono, enfrentava sucessivas revoltas de seu povo e dos territórios ocupados. Foi nessa época que se rebelaram os jônios, povo indo-europeu que se estabeleceu na Ática e no Peloponeso, para mais tarde habitar Halicarnasso e Esmirna, também na Ásia Menor. Juntamente com os aqueus, eólios e dórios, os jônios formaram a etnia grega. Na rebelião, depuseram os tiranos impostos pelos persas e instalaram a democracia em suas cidades, influenciados pelo sistema de governo vigente em Atenas. Os erétrios e os atenienses enviaram tropas em seu socorro.

A revolta ameaçava a integridade do Império Persa. Depois de subjugá-la na Batalha de Lade, em 494 a.C., o rei Dario prometeu punir os envolvidos na rebelião, incendiar Erétria e Atenas e escravizar seus habitantes, caso não se submetessem à sua autoridade.

Finalmente, no ano 490 a.C. Dario reuniu fundos e as embarcações necessárias para enviar à planície Ática — onde fica Atenas — uma expedição marítima comandada por Artafernes e Dátis. Partindo do continente, os persas abordaram as ilhas pelas quais passaram, tomando como reféns os filhos dos habitantes para incorporá-los à tropa. Os que se opuseram tiveram as terras e os templos saqueados.

Os navios ancoraram na costa da Erétria, onde desembarcaram os cavalos e os homens sem encontrar resistência, porque os erétrios haviam decidido concentrar suas defesas no interior das muralhas. O combate durou seis dias, com grande número de mortos. Convencidos de que lhes era impossível resistir, no sétimo dia entregaram a cidade aos atacantes, que a saquearam, queimaram seus templos e reduziram os habitantes à escravidão, como de costume.

Depois de alguns dias no território subjugado, os conquistadores voltaram para os navios rumo ao sul, na direção da costa da Ática, em obediência às ordens de castigar os atenienses. O local escolhido para o desembarque foi a baía de Maratona, por ser mais próxima de Erétria e apresentar topografia favorável à movimentação da cavalaria, a força mais temida da armada.

O exército ateniense era comandado por dez generais, entre eles Milcíades, campeão olímpico da corrida de carro a quatro cavalos e veterano em lutas contra os persas. A ordem dos gregos foi marchar com rapidez para bloquear as duas passagens da planície de Maratona que abririam caminho para a destruição de Atenas.

Estava instalado o cenário para uma das dez batalhas mais importantes para o futuro da cultura ocidental.

A concentração das tropas

O desequilíbrio de forças era brutal. Heródoto não faz estimativas, mas os historiadores modernos calculam que o número de soldados persas estaria entre 20 mil e 100 mil (no mínimo 25 mil, parece ser o consenso), reforçados por cerca de mil cavalos.

Comandados pelo grupo de generais autônomos, os atenienses não passariam de 10 mil, contingente que agregava todos os homens em armas disponíveis. A mobilização desse exército para o combate em Maratona foi uma decisão de tudo ou nada, uma vez que deixava a cidade completamente desprotegida para resistir a um eventual ataque direto. E, mais grave, caso Atenas fosse invadida por mar, o exército concentrado em Maratona ficaria isolado das linhas de abastecimento.

Amedrontados pelas dimensões da armada inimiga, antes de sair de Atenas os generais decidiram enviar um emissário para pedir ajuda a Esparta, cidade-irmã nem sempre fraterna. Nesse momento crucial é que entrou em ação o maior corredor do exército ateniense: Fidípides — ou Filípides, como preferem alguns historiadores. Em vez de correr os famosos 42 quilômetros em seis vexaminosas horas antes de desfalecer, Fidípides percorreu em apenas dois dias os 225 que separavam Atenas de Esparta, tempo e distância que lhe asseguram o título de primeiro ultramaratonista da história.

A narrativa de Heródoto é esclarecedora. Conta que, ao chegar a Esparta no dia seguinte ao de partida, Fidípides, desincumbindo-se da missão a ele confiada pelos generais, apresentou-se diante dos magistrados locais e disse que os atenienses lhes solicitavam auxílio para impedir que a cidade mais antiga da Grécia caísse sob domínio dos persas, chamados por eles de bárbaros.

Desafortunadamente para os atenienses, naqueles dias Esparta comemorava o Festival de Carneia, período sacrossanto dedicado à paz. Depois de ouvir Fidípides, os magistrados concordaram em socorrer os vizinhos; todavia, por razões religiosas, seu exército só poderia marchar quando a lua cheia indicasse o fim do festival, fenômeno que não aconteceria em menos de dez dias.

Decepcionados, os atenienses no campo de batalha ficaram numa encruzilhada: esperar pelo reforço, arriscando-se a enfrentar a investida de um inimigo numericamente muito superior, apoiado pela cavalaria mais poderosa de que se tinha notícia, ou ir ao encontro dele na condição de Davi contra Golias.

A estratégia de bloquear as duas passagens de acesso a Atenas enquanto os dias corriam, a fim de dar tempo para que os espartanos chegassem, era frágil — os persas podiam atacar a qualquer momento —, mas foi a que pareceu mais sensata aos generais atenienses. Os inimigos, por outro lado, analisaram: tinham uma infantaria com armas mais leves do que as lanças dos oponentes, levariam desvantagem nos combates corpo a corpo, mas o desequilíbrio ficava por conta do contingente mais numeroso e da cavalaria capaz de penetrar com facilidade as hostes adversárias. Enquanto os contendores hesitavam em tomar a iniciativa, a distância que os separava no campo de batalha não passava de 1500 metros (oito estádios).

Há duas teorias históricas para explicar o começo do confronto. A primeira leva em conta o fato de que Heródoto não menciona a participação da cavalaria na batalha. É possível que os cavalos tenham sido embarcados nos navios para atacar pelas costas uma Atenas desguarnecida. Ao perceber a ausência da força mais destruidora dos adversários, os atenienses teriam decidido avançar. A segunda defende que os persas, cansados de aguardar no acampamento, teriam partido para o ataque. É provável que, diante da iniciativa do inimigo, aos atenienses não tenha sobrado escolha senão avançar.

Na versão do Pai da História, a decisão de confrontar os adversários foi precedida por desacordos entre os atenienses. Pressentindo o massacre perante inimigos mais fortes e numerosos, alguns generais eram a favor da rendição negociada. Outros viam na resistência armada a única alternativa para impedir o saque e a destruição de Atenas e a escravização de seus habitantes.

Diante de tais divergências, Milcíades achou por bem dirigir-se ao polemarco, personagem que uma lei antiga colocava em pé de igualdade hierárquica com os generais. Calímaco de Afine era quem se encontrava revestido dessa dignidade.

Na conversa, Milcíades pôs o destino de Atenas nas mãos do outro. Disse-lhe que dependia dele a sorte da cidade-estado: conformar-se com a escravidão ou conquistar glória imortal. Explicou que, desde a fundação, jamais Atenas havia enfrentado perigo tão ameaçador. Vencidos pelo poderio dos medos (persas), os atenienses estariam desgraçados; vencedores, poderiam tornar sua cidade a mais importante da Grécia.

Milcíades explicou que a indecisão agravaria as discordâncias entre os generais, enfraqueceria a unidade das tropas e daria vantagem aos medos. Caso fossem à luta e os deuses se mantivessem neutros, poderiam chegar à vitória. A felicidade ou a desgraça do povo dependiam da decisão de Calímaco. Os argumentos foram convincentes. O polemarco persuadiu os outros generais favoráveis à resistência a renunciar ao comando em favor de Milcíades.

De acordo com o calendário juliano, a luta seria travada no dia 12 de setembro de 490 a.C.

A batalha

Pela descrição de Heródoto, depois do sacrifício de animais aos deuses a batalha foi decidida.

Milcíades ordenou que parte da tropa ateniense se concentrasse em apenas quatro fileiras centrais, enquanto os soldados restantes correriam pelas laterais com a intenção de atacar os inimigos pelos flancos. A fragilidade da formação central era um convite para que o exército persa por aí penetrasse. Ao perceber que vinham correndo em pequeno número, sem apoio de arqueiros ou cavalaria, os persas acreditaram que os adversários estavam acometidos por alguma forma de loucura desesperada.

Protegidas por seus escudos, sob a chuva de flechas persas, as linhas gregas que avançaram pelas laterais finalmente colidiram com os oponentes. O armamento pesado, de bronze, dos gregos era de qualidade muito superior às espadas inimigas. O ataque cercou os persas que invadiram pela parte central. Era a primeira vez na história militar grega que os soldados atacavam na correria, pelos flancos. Eles foram, também, os primeiros a enfrentar as vestimentas dos medos e os homens que as usavam. Até então, a simples menção ao nome "medos" bastava para apavorar os habitantes da Grécia antiga.

A letalidade das armas e a fúria do ataque pelas laterais acuaram o exército invasor, bem mais numeroso. A batalha terminou com a debandada dos soldados em pânico, na direção dos navios. Perseguidos num terreno que mal conheciam, muitos se perderam nos pântanos, afogaram-se ou foram trucidados.

Os atenienses capturaram sete dos navios. Com o resto da frota, os persas rodearam o cabo Súnio, com a intenção de atingir Atenas antes que os inimigos o fizessem. Apesar do esforço exigido pelo combate, o exército vitorioso correu com os armamentos, a toda a velocidade, os 42 quilômetros que separam Maratona de Atenas, para proteger a cidade. Quando os navios chegaram ao porto de Faleros — o porto de Atenas na época —, a armada defensora estava à espera, na praia. Depois de algum tempo, os persas levantaram âncoras e navegaram de volta para a Ásia.

No fim, o historiador contabiliza as baixas: "Na Batalha de Maratona pereceram cerca de 6400 homens do lado dos bárbaros, e 192 do lado dos atenienses". Embora não seja possível conferir a exatidão desses números, eles dão ideia da grandeza do desastre persa.

E o que diz Heródoto dos espartanos? Logo depois da lua cheia, 2 mil espartanos chegaram a Atenas. Como estavam ansiosos para participar da luta, não levaram mais de três dias para ir de Esparta à Ática. Quando chegaram, a batalha já havia terminado. O seu desejo de ver os medos era tão grande, que se dirigiram imediatamente a Maratona para contemplá-los. Satisfeita a curiosidade, congratularam-se com os atenienses pela vitória e regressaram à pátria.

Feito glorioso da jovem democracia de Atenas, a Batalha de

Maratona conferiu aos gregos uma fé em seu destino que duraria três séculos. Ela marca o início da idade de ouro de Atenas que tanto influenciou nossa cultura. Se os persas tivessem vencido, a história da civilização ocidental teria sido outra.

Os Jogos Olímpicos

Heródoto menciona que Fidípides, ao correr os 225 quilômetros na volta de Esparta para Atenas, recebeu a visita do deus Pã, o qual lhe ordenou que perguntasse aos atenienses por que não o honravam. O corredor prometeu ao deus que eles passariam a fazê-lo. Em retribuição, no momento mais crucial da guerra, Pã instilou nos persas sua forma particular de medo: o pânico. Depois da batalha, os atenienses ergueram um templo em homenagem a ele, pouco abaixo da Acrópole.

E a história da corrida até Atenas para dar a notícia da vitória? Na verdade, foi o exército vencedor que percorreu os 42 quilômetros que separam Maratona de Atenas, para impedir que os persas os precedessem. Saíram pela manhã e chegaram no fim da tarde, empreitada gloriosa para homens exaustos da refrega, levando às costas armamentos pesados. A lenda do soldado que correu a maratona em seis horas, deu a notícia da vitória e caiu morto só teria surgido seiscentos anos mais tarde.

A ideia de organizar uma prova que cobrisse a distância de Maratona a Atenas veio do francês Michel Bréal nos primeiros

Jogos Olímpicos modernos, em 1896, em Atenas. No ano seguinte, aconteceu a primeira maratona recreativa, na cidade de Boston, considerada hoje uma das seis mais importantes do mundo, ao lado das de Londres, Berlim, Tóquio, Chicago e Nova York.

Adriana Silva

Magrinha daquele jeito, de tênis e jeans, no portão de embarque para Boston, só podia ser maratonista. De elite, porque o rapaz forte ao lado dela parecia ser treinador. Quando me aproximei, as suspeitas se confirmaram: era Adriana Aparecida da Silva, recordista brasileira e pan-americana da maratona feminina.

Adriana tem um olhar doce, encantador, sorriso aberto e modos de moça recatada do interior. As glórias nas pistas não lhe roubaram a simplicidade e a parcimônia ao falar de si.

Nasceu em Cruzeiro, no meio do caminho entre São Paulo e Rio de Janeiro, em 1981. Ela e os três irmãos foram criados pela mãe, separada do marido quando a menina completou três anos. Para ajudar em casa, aos nove foi trabalhar como doméstica. O que ganhavam mal dava para as necessidades básicas, a casa em que moravam era tão precária que nas noites de chuva a mãe cobria os filhos com um plástico, única maneira de protegê-los das goteiras.

Ainda pequena, por brincadeira, Adriana começou a correr na equipe Papaléguas, que treinava crianças da cidade. Ao completar doze anos, foi convidada para disputar uma corrida de cinco quilômetros na vizinha Jacareí. Era a primeira vez que saía dos limites de Cruzeiro. Nem tênis tinha, correu com sapato de couro. Sem entender direito o que se passava, subiu ao pódio para receber a medalha do primeiro lugar e o prêmio em dinheiro.

De volta para a cidade natal, correu ao encontro da mãe: "Vamos para o supermercado". Nesse dia, realizou o sonho de ver um carrinho cheio de mantimentos. Diante dele, compenetrada, prometeu: "Não vai faltar mais nada para a senhora. Serei atleta profissional".

Abandonou o emprego e se dedicou de corpo e alma à Papaléguas. Em pouco tempo já recebia trezentos reais de ajuda de custo, num programa da prefeitura, além dos prêmios das corridas que vencia. Permaneceu em Cruzeiro até completar 23 anos, quando foi a terceira colocada na São Silvestre, performance que lhe permitiu subir ao pódio e a transformou em corredora de elite. No mesmo ano, chegou em terceiro lugar também na Meia Maratona do Rio de Janeiro. Ainda em 2004, cumpriu a promessa feita à mãe: comprou-lhe uma casa com dois quartos, sala e um quintal grande, com duas laranjeiras, uma mangueira e um pé de caju.

No ano seguinte viveria os momentos mais incertos da carreira, consequência de um estiramento no tendão de aquiles que se agravou nas sucessivas provas que disputava. A cirurgia para reparar o tendão afastou-a das pistas por seis meses, período em que perdeu a verba de patrocínio. Dos 3 mil reais que ganhava, passou a viver com quatrocentos. Medicada com antidepressivo, achou que a carreira havia chegado ao fim. E talvez fosse verdade, se não tivesse conhecido Claudio Castilho, o treinador que estava com ela à espera do avião para Boston, quando os conheci, quatro dias antes da maratona de 2014. Contratada pelo Clube Pinheiros em 2007, ficava quinze dias num alojamento com outras atletas e o resto do mês com a família, em Cruzeiro.

O ano de 2009 foi decisivo: Claudio sugeriu que ela se tornasse maratonista e se preparasse para disputar a classificação para o Mundial de Atletismo que seria realizado no mês de agosto, em Berlim. Para tanto, era preciso completar uma prova em tempo abaixo da linha de corte: 2h43. A oportunidade se apresentou na Maratona de Florianópolis, em abril. Foi a primeira colocada, com tempo de 2h41, que lhe garantiu o direito a disputar o Mundial, e a fez chorar como nos tempos de criança.

Em 2011, aconteceram os Jogos Pan-Americanos de Guadalajara, cidade a 1550 metros de altitude, no México, país de origem da favorita da prova, Madaí Pérez. Na fase de preparação, Adriana passou um mês em Paipa, na Colômbia, num centro de treinamento situado a 2600 metros de altitude.

Na prova, largou em quarto lugar, posição que manteve até o quilômetro 12, quando passou pela terceira colocada, mais de dois minutos atrás de Madaí Pérez, que disputava a primeira colocação com a peruana Gladys Tejeda. Ao atingir o quilômetro 35, sentiu que tinha forças para acossar as líderes. A peruana ficou para trás. O povo nas ruas incentivava a conterrânea e gritava para a brasileira: "*Despacio, despacito*" (Devagar, devagarinho).

No quilômetro 38, Adriana foi para cima da mexicana desgastada pelo calor e pela disputa aguerrida com a representante do Peru. Assim que assumiu a primeira posição, a torcida virou a seu favor: gritava seu nome e a aplaudia, estímulos que a ajudaram a suportar as dores cada vez mais fortes nas pernas e na região lombar e as náuseas dos últimos cinco quilômetros. Nos mil metros finais, o mundo escureceu por alguns segundos, apagão que já tirou de combate corredores renomados, a poucos metros da chegada. Sem enxergar, orientando-se pelas vozes da torcida, resistiu no mesmo passo.

Quando faltavam quinhentos metros, ouviu o grito do treinador: "Vai dar recorde". De fato, Adriana completou a prova no tempo de 2h36min37, quase um minuto de vantagem em relação ao recorde pan-americano anterior. Com esse tempo, tornou-se também a recordista brasileira, título que detém até hoje, batido anteriormente por Carmem de Oliveira, sua inspiradora, que venceu a São Silvestre de 1995 e muitas provas de rua.

Chegou ao fim da prova sem noção do tempo. Só entendeu que havia quebrado a marca pan-americana quando voltou à Vila Olímpica e viu o Facebook. Passou a noite acordada, com a medalha de ouro ao lado e os gritos da multidão reverberando na memória da ultrapassagem decisiva. "Não tinha com quem conversar, as cinco companheiras de alojamento dormiam." As portas se abriram. Correu as maratonas mais importantes do mundo e foi a única brasileira classificada para os Jogos Olímpicos de 2012.

Convites não lhe faltam. Disputa duas maratonas por ano, que exigem quatro meses de preparação. Em 2013 correu três provas, mas acha arriscado participar em mais de duas por ano, por medo de que uma contusão a afaste das pistas. Na primeira semana de preparação corre o total de 160 quilômetros, na segunda 180, distância que aumenta até chegar a 215, quando se aproxima a data da prova. Nessa fase, às segundas, quartas e sextas corre vinte quilômetros pela manhã e dez à tarde. Às terças e quintas, faz doze a quinze tiros de mil metros pela manhã e corre doze quilômetros à tarde. Aos sábados, faz os longos, que começam com 25 quilômetros com o objetivo de chegar a 38 nas proximidades da competição. Nas tardes dos dias de semana, antes da segunda corrida do dia, vai à academia do Pinheiros para fortalecer braços e pernas.

Antes das maratonas, passa pelo menos um mês no centro de treinamento em Paipa. No primeiro dia corre duas horas, tempo que vai aumentando gradativamente até atingir três horas, nas quais percorre quarenta quilômetros. É a fase de que mais gosta: "Em Paipa, não há solicitações externas. A vida é treinar e voltar para o alojamento. Dedicação total".

Retorna cerca de dez dias antes da prova, a tempo de disputar meia maratona. Se não houver alguma agendada para esse período, corre 25 quilômetros em companhia de atletas homens, com a intenção de chegar em uma hora e meia. Na semana anterior à prova reduz a intensidade do treinamento para 90 km/semana. Corre até a véspera, mas em ritmo bem mais lento.

Apesar do desgaste dos treinos não perde peso. Faz seis refeições por dia, mas a dieta não tem nada de especial. Pão com manteiga no café da manhã; carboidrato em gel antes do treino; depois dele bolo, iogurte e frutas, às dez horas; almoço sem restrições ao meio-dia; outro café com leite, pão e manteiga às três e meia, antes do treino da tarde; lanche às cinco e meia, e às oito da noite jantar, variado como o almoço. Antes de ir para a cama, o último lanche. Seu corpo tem apenas 6% de gordura, mas a magreza não lhe tira o porte atlético nem a graça feminina.

No clube recebe assistência médica completa. Os controles ginecológicos mapeiam suas menstruações (que são regulares), para evitar provas que coincidam com esse período, precaução nem sempre possível. "Correr menstruada, com cólica, desconcentra, prejudica a performance e duplica o sofrimento."

Os anos de carreira e as disputas internacionais não foram suficientes para livrá-la da ansiedade e do medo nos momentos que antecedem a prova nem das dores nas pernas e na coluna que se instalam a partir do trigésimo quilômetro.

Veio em definitivo para São Paulo em 2007, onde morou numa república com quatro atletas. Em 2014, conseguiu alugar um apartamento para trazer a mãe, infelizmente falecida quando o sonho da filha estava para ser realizado.

Em 2010 completou a licenciatura em Educação Física, curso frequentado à noite com grande sacrifício pessoal, para não interferir na rotina dos treinos. No dia a dia, Adriana acorda às sete e meia, treina, almoça e descansa das duas às três da tarde, em casa ou numa sala do clube. Volta para casa ao redor das oito. Dorme às dez e meia.

As pistas não lhe dão trégua: "Não tem sábado, domingo, feriado e nem Natal". Nos dias seguintes à Olimpíada de Londres, passou dez dias na Disneylândia, sua primeira e única viagem de lazer.

Depois das maratonas, tira uma semana de férias para ficar com a família, em Cruzeiro. Em São Paulo, não namora, não vai a festas nem sai para passear: "Chego em casa tão cansada, tão cheia de dor, que não tenho coragem de levantar do sofá. O máximo que consigo é andar até a cama. Que homem viveria com uma mulher nessas condições?".

INTERVALO 2

CORRER MARATONA É PERIGOSO?

Talvez você pense que maratonistas são indivíduos temerários, ao correrem risco de morte numa atividade recreativa. Aliás, esse é o argumento de detratores como aquele médico que, ao ver minha dificuldade para sair do carro no estacionamento do hospital, destruído pela combinação da Maratona de Blumenau com a intoxicação alimentar da véspera, exclamou condoído: "Isso faz mal para o ser humano".

Os números, no entanto, contradizem essa visão catastrófica. Centenas de milhares de mulheres e homens disputam maratonas pelo mundo, em condições climáticas que vão do inverno em Tóquio aos trinta graus de julho no Rio de Janeiro, sem que ocorram incidentes de maior gravidade. Se é assim, por que há mortes durante maratonas?

Primeiro: trata-se de episódios raríssimos que provocam grande repercussão nos noticiários. Mortes durante práticas esportivas causam comoção social, porque costumam ser súbitas. A morte súbita expõe como nenhum outro evento a fragilidade da condição humana: o estar aqui e no minuto seguinte não estar mais. Não pode existir acontecimento mais dramático em nossa existência. O que seria comparável? O nascimento de um filho? O encontro com a fortuna ou com a pessoa amada? A vida e a morte encerram a contradição suprema dos seres humanos, únicos animais capazes de criar teorias fantásticas para lhes assegurar a sobrevivência eterna da alma.

É tão grande a dificuldade para aceitarmos que a vida pode ser extinta aleatoriamente como a chama de uma vela, que diante dessa eventualidade procuramos razões para atirar na pessoa a culpa pelo fim que lhe foi reservado: "Ah! Mas ele bebia"; "Mas era muito deprimida"; "Mas tinha perdido a alegria de viver". Encontrar justificativa para o desenlace fatal do outro explica o inexplicável e nos deixa com a impressão de que estamos a salvo.

Segundo, e o mais chocante: óbitos em práticas esportivas geralmente acontecem entre jovens; maratonas não são exceções. Nunca soube de corredores com mais de cinquenta anos — mulheres ou homens — que tenham perdido a vida numa prova de 42 quilômetros. Paradas cardíacas por arritmias ou infarto são mais comuns em corredores com menos de quarenta anos, portadores de defeitos anatômicos nas artérias coronárias, aterosclerose precoce e miocardiopatias não diagnosticadas previamente.

Quanto aos problemas osteomusculares, os maratonistas bem treinados não correm risco maior do que praticantes de outros esportes. Quantos jogadores de futebol já operaram os joelhos aos 25 anos? Quantos jogadores de vôlei tiveram problemas nos ombros? Quantos tenistas lesaram a articulação do cotovelo? A natureza competitiva desses esportes impõe a urgência de movimentos bruscos atrás da bola, que facilitam a ruptura de ligamentos e sobrecarregam músculos e articulações.

Podemos identificar três tipos gerais de maratonistas. Os profissionais que disputam as primeiras posições, os que se deixam tomar pelo desafio constante de melhorar marcas anteriores, e os diletantes, que se contentam em completar a prova.

Desde que a obsessão pelo tempo e pelos recordes pessoais não domine o corredor, o desafio de cada um é encontrar a velocidade que lhe permita terminar a prova com o mínimo de sofrimento. É o confronto entre a intenção intelectual de chegar ao fim e o limite de resistência do organismo. A competição é do indivíduo consigo mesmo.

ATIVIDADE FÍSICA E MORTALIDADE

Diversos estudos mostraram que a vida sedentária está associada a aumento do risco de morte mais precoce. No entanto, como os sedentários costumam ter índice de massa corpórea (IMC = peso/altura ao quadrado) mais elevado e circunferência abdominal maior, fica difícil isolar o impacto dessas duas variáveis. Em outras palavras, a inatividade é um fator de risco por si mesma ou os inativos morrem mais cedo porque engordam?

Em janeiro de 2015, foi publicado no *American Journal of Clinical Nutrition* o estudo mais completo sobre o tema.

Foram recrutados 519 978 voluntários de ambos os sexos, em dez países europeus: Suécia, Dinamarca, Noruega, Holanda, Inglaterra, França, Alemanha, Espanha, Itália e Grécia. As idades variavam de 25 a 70 anos. Mulheres e homens com história prévia de doenças cardíacas, derrame cerebral ou câncer foram excluídos. Também ficaram de fora aqueles nos extremos das curvas, por exemplo, IMC abaixo de 18,5 (faixa da desnutrição), peso corpóreo acima de 250 kg, circunferência abdominal acima de

160 cm ou abaixo de 40 cm, bem como aqueles cujos dados sobre o grau de atividade, peso e circunferência abdominal, uso de álcool e fumo estavam incompletos.

Por meio de uma avaliação que levou em conta a atividade profissional e a prática de exercícios, os participantes foram divididos em quatro grupos: inativos, moderadamente inativos, moderadamente ativos e ativos.*

A análise final incluiu 334161 participantes, acompanhados por um período médio de doze anos.

Os resultados foram incontestáveis: quando comparados com os inativos, os moderadamente inativos (grupo 2) apresentaram índices de mortalidade 20% a 30% mais baixos. Mesmo entre os obesos (IMC acima de 30), a atividade física reduziu a mortalidade. Basta andar trinta minutos três vezes por semana para levar essa vantagem. Na comparação com os sedentários, os ativos (grupo 4) tiveram redução mais pronunciada da mortalidade: 41%. Enquanto níveis mais elevados de atividades recreativas causaram redução da mortalidade, o grau de atividade física desenvolvida no trabalho não mostrou benefícios.

Nessa população europeia, a falta de atividade física foi responsável pelo dobro das mortes associadas à obesidade. A atividade física tem um impacto na mortalidade semelhante ao que seria obtido caso conseguíssemos eliminar o acúmulo de gordura abdominal na população, isto é, se todos tivessem circunferência abdominal na faixa da normalidade (abaixo de 102 cm para os homens e de 88 cm para as mulheres).

Tais dados confirmam as conclusões de estudos anteriores: circunferência abdominal acima dos valores citados está associa-

---

* Para uma pessoa de 70 kg isso corresponde, em média, a cerca de: 1) inativos: 600 kcalorias/dia; 2) moderadamente inativos: 680 kcalorias/dia; 3) moderadamente ativos: 770 kcalorias/dia; e 4) ativos: 850 kcalorias/dia.

da a mortalidades mais altas do que índice de massa corpórea mais elevado. O impacto mais pronunciado da atividade física na redução da mortalidade se deu naqueles com IMC entre 18 e 25 (peso saudável) e cintura na faixa de normalidade.

Esses resultados são consistentes com os obtidos por um estudo asiático no qual mulheres e homens que andam apenas quinze minutos por dia apresentam índices de mortalidade 14% mais baixos do que os sedentários.

Os autores observam que dos 9,2 milhões de óbitos ocorridos em 2008, na Comunidade Europeia, 676 mil seriam atribuídos à inatividade e 337 mil à obesidade. No final, concluem:

> As maiores reduções no risco de morrer por qualquer causa foram encontradas na comparação entre os inativos e os moderadamente inativos, em todas as categorias de peso corpóreo e adiposidade abdominal. Esse dado sugere que os esforços para encorajar mesmo pequenos aumentos na atividade física entre os sedentários pode resultar em benefícios à saúde pública. O número hipotético de mortes evitáveis por aumento da atividade física é duas vezes maior do que o obtido com medidas para reduzir os índices de massa corpórea elevados e semelhante às intervenções necessárias para impedir o acúmulo de gordura no abdômen.

PARTE 3

MINHAS MARATONAS

Nova York, 1993

Eu era fascinado por Nova York. Havia morado lá durante três meses, enquanto fazia estágio num hospital do East Side, nos anos 1980, e retornara diversas vezes em viagens de estudo ou após congressos médicos em outras cidades americanas. Pretextos para passar por lá não faltavam: conferências, cursos, exposições de arte, visitas demoradas ao Museu de História Natural, rever Luís Nasr, o pianista William Daghlian e os amigos deles.

Cheguei cinco dias antes da maratona, em companhia de meu enteado Luciano, que tinha terminado um casamento fazia poucos meses. Andamos pelas ruas, visitamos museus, assistimos a uma ópera no Lincoln Center e fomos à casa de amigos. Do dia para a noite, Nova York foi invadida por multidões de corredores. As lojas de material esportivo organizavam filas do lado de fora.

Na quarta-feira corri duas horas na pista ao redor do reservatório de água do Central Park. Numa das voltas, fui ultrapassado por dois corredores negros de estatura mediana que passaram como um raio. Não tinham um grama de gordura no corpo, os braços eram finos, a cabeça ereta, as passadas largas; pareciam flutuar. Só podiam ser profissionais.

Poucos quilômetros mais tarde, percebi que os dois se aproximavam outra vez e decidi tentar acompanhá-los assim que me ultrapassassem. Corri atrás com todas as minhas forças; tive a impressão de que nunca havia atingido tamanha velocidade. A respiração ficou cada vez mais acelerada, os músculos das pernas retesados pelo esforço mal conseguiam manter a distância que me separava dos corredores, que conversavam tranquilamente, numa língua estranha, como se passeassem pelo parque. Em menos de quinhentos metros, a falta de ar me obrigou a desistir. Como era possível existirem máquinas de consumir oxigênio com a eficiência daqueles dois? Que anatomia era aquela? Quantas horas de treinamento diário seriam necessárias para chegar a tal desempenho?

Na sexta, fui buscar o material para a prova, distribuído num hotel da Sexta Avenida. O número de participantes ainda permitia soluções desse tipo. Sábado pela manhã houve uma pequena corrida de congraçamento que saiu da frente do prédio das Nações Unidas. Depois da entrega de alguns prêmios e da vaia que David Dinkins, prefeito de Nova York, recebeu ao saudar os visitantes estrangeiros que se reuniam naquele momento *"in the best city of the world"*,* falou Fred Lebow, o romeno que ao lado de Vincent Chiappetta fundou a Maratona de Nova York, no ano de 1970.

Participaram dessa prova inaugural apenas 126 homens e uma mulher, que desistiu no meio do percurso, na época integralmente disputado no Central Park. O vencedor foi o bombeiro Gary Muhrcke, com a marca de 2h31. Entre os 55 que consegui-

* "Na melhor cidade do mundo."

ram completar o trajeto, Lebow foi o 45º, com o tempo de 4h12. Cada um dos dez primeiros colocados recebeu como prêmio um relógio de corrida.

Com o aumento do número de participantes, em 1976 o trajeto foi modificado para que os corredores percorressem os cinco bairros da cidade: Staten Island, Brooklyn, Manhattan, Queens e Bronx. Três décadas mais tarde, a Maratona de Nova York se tornou a maior do mundo em número de corredores, acompanhada todo ano nas ruas por 2 milhões de nova-iorquinos.

Assim que Lebow tomou a palavra, ouviu-se uma ovação interminável. Depois de correr setenta maratonas, em diversos países, ele recebera em 1990 o diagnóstico de um tumor maligno no cérebro, contratempo que não o havia impedido de completar a Maratona de Nova York de 1992 em cinco horas e 32 minutos. As boas-vindas que ele nos deu na véspera da prova de 1993, aos sessenta anos de idade, foi sua última oportunidade de ver reunidos os 30 mil corredores daquele ano. Lebow faleceu em outubro de 1994. Foi velado por mais de 3 mil pessoas, no Central Park, junto à linha de chegada da prova que ajudara a criar. Essa foi a maior homenagem póstuma prestada a alguém naquele local, desde a morte de John Lennon.

Como a Maratona de Nova York deve passar pelos cinco bairros da cidade antes de terminar no Central Park, a partida é dada na Verrazano Bridge, situada a 21 quilômetros a oeste do aeroporto Kennedy. Transportar dezenas de milhares de corredores para local tão distante exige estratégia militar.

Às cinco e meia da manhã, os ônibus começavam a sair da frente da Biblioteca Municipal, na Quinta Avenida, entre as ruas 40 e 42. Os organizadores recomendavam que ninguém se apresentasse depois das nove horas, para não correr o risco de ficar preso no tráfego. Como o início da prova seria às 10h45, todos se concentrariam numa área próxima ao local de partida, junto à ponte. Era novembro, fazia muito frio.

Peguei o ônibus ao redor das oito horas. Na fila, li os dizeres bordados nas costas do blusão de um homem magro e alto de cabelos brancos que estava na minha frente: "*70 years old still running marathons*".* Achei incrível que alguém conseguisse correr 42 quilômetros naquela idade, não me passou pela cabeça que um dia eu pudesse estar na mesma condição. Como diz o povo, depois dos quarenta velho é todo aquele com vinte anos mais que nós.

Em 45 minutos, entrei na concentração, ao ar livre, mal agasalhado, num frio de bater dentes, mal-humorado, arrependido daquela ideia, com duas horas de espera pela frente. Os corredores sentavam no chão, encolhidos, encostados uns nos outros, cobertos com agasalhos velhos e sacos plásticos de acondicionar lixo. Dois mexicanos, de calção mas sem camisa, passaram entre nós descontraídos, como se caminhassem por Acapulco. Que gente era aquela? Ainda que estivessem apenas se exibindo, como resistiam ao vento gelado que penetrava os ossos?

À medida que se aproximou o horário da partida, a multidão começou a se movimentar. Muitos andavam para lá e para cá, excitados; outros pulavam para espantar o frio; mulheres faziam fila nas portas dos banheiros enquanto os homens se postavam lado a lado diante de um cano largo de plástico, com dez metros de comprimento ou mais, junto ao qual havia uma placa: "*The greatest urinoir of the world*".**

Quando a voz de Frank Sinatra entoou a previsibilíssima "New York, New York", os portões se abriram e a massa se deslocou para a ponte. Fiquei emocionado com aquele mundo ondulante de cores,

---

* "Setenta anos de idade ainda correndo maratonas."
** "O melhor mictório do mundo."

com a diversidade de línguas, com o fato de estar ali, na companhia de brasileiros que não conhecia mas que me desejavam boa sorte, e até com o Frank Sinatra. Ao mesmo tempo, tive a sensação de que algum imprevisto poderia ocorrer nas horas que me aguardavam. Bando de irresponsáveis que se metem numa aventura dessas, sem outro objetivo senão o de chegar ao final.

Esse misto de medo, excitação e emotividade não é exclusivo dos navegadores de primeira viagem. Em maior ou menor intensidade, todo maratonista experimenta tal estado de espírito nos minutos que antecedem a partida. Comigo aconteceu em todas as provas de que participei nos últimos 22 anos. Acho que, no íntimo, temos consciência de que correr 42 quilômetros talvez ponha a vida em perigo, e é essa possibilidade que excita e amedronta.

O clímax da sensação ocorreu quando o alto-falante iniciou a contagem regressiva. Assim que foi dado o tiro de partida, o grito da multidão ecoou pela ponte. Ao contrário da maioria, não gritei nem pulei; fiquei em silêncio, bloqueado pela massa humana que esperava espaço para começar a correr.

Passaram-se exatos doze minutos até eu conseguir chegar à linha de partida. Numa época sem a precisão dos chips, eram minutos perdidos, não descontados no resultado oficial da prova. Já nas primeiras passadas enfrentei o desafio maior das maratonas: cadenciar o passo levando em conta não a disposição do momento, mas a que nos restará no quilômetro 35 ou 38.

Maratonas são provas para bons planejadores, capazes de a todo instante calcular a energia gasta e avaliar a que ainda resta para chegar ao final. É uma prova democrática que exige de todos a mesma sabedoria. Do primeiro ao último colocado, cada qual testará o limite de suas forças. Um pequeno erro no cálculo da velocidade dos quilômetros iniciais pode levar à marca de um tempo medíocre ou à exaustão paralisante, na metade do caminho.

O melhor da Maratona de Nova York está na biodiversidade

humana que a corrida expõe em seu percurso, característica incomparável. Por todo o trajeto há gente aglomerada nas calçadas e nas janelas. Pessoas de todas as idades, famílias inteiras a incentivar os que passam, algumas carregando cartazes com o nome de um participante.

Numa esquina a paisagem é a do interior do México, com rádios no último volume na soleira das portas; noutra, estamos em Porto Rico ao som da salsa; depois em Jerusalém, com homens barbudos de chapéu e terno preto, mulheres de peruca com saias xadrez que chegam aos tornozelos e meninos com quipá e costeletas cacheadas. De repente, surge uma banda com homens de saia escocesa e gaitas de foles, outra de rock, outra de jazz, um músico solitário toca trompete no meio do Harlem, onde todos são negros e as senhoras de chapéu florido e vestido escuro voltam da igreja. O povo sai às janelas ou desce barulhento às ruas para comemorar a festa. Que biodiversidade!

Passei bem pelo quilômetro 30, altura em que dizem existir um muro contra o qual se chocam os maratonistas. Corri sem incidentes até o 35, quando senti um peso no mesmo lugar da panturrilha machucada. Reduzi a velocidade. Como a dor não aumentou, fui em frente, morto de medo de ser obrigado a desistir. No quilômetro seguinte, o mesmo peso que pressionava a perna direita se instalou na esquerda. Em vez de assustar, a simetria me acalmou: pouco provável ter distendido ou rompido os mesmos músculos dos dois lados.

A essa altura, o cansaço veio com tudo. Só de pensar que ainda faltavam seis quilômetros, portanto mais de meia hora naquele passo, tive vontade de me jogar no chão e esmurrar o asfalto, como as crianças birrentas. Só não rezei para recuperar a energia perdida porque religião não é meu forte. Mas senti que não estava sozinho: o aspecto físico, a postura e as expressões faciais de meus companheiros de infortúnio eram lamentáveis.

O mundo perdeu a graça. Fiquei com raiva de mim, da ideia absurda que tive naquela tarde no largo São Bento, das pessoas que gritavam na calçada e do sol que esquentava minha cabeça. Ao entrar no Central Park, acho que restavam uns cinco quilômetros, fiquei com ódio das árvores, dos esquilos e até da cidade. Nada conseguia me distrair da ideia fixa de acabar com aquele martírio. Nunca imaginei que o fim fosse tão sofrido.

Quando apareceu a placa dos quarenta quilômetros, achei que chegaria ao final, nem que precisasse me arrastar. Não acabaria a prova andando, questão de honra, tinha ido a Nova York para correr. A visão da linha de chegada provocou uma descarga de adrenalina que espantou o cansaço. Cruzei a linha no momento em que o relógio marcava 4h01 de prova. O passo seguinte já foi andando. Ninguém termina uma maratona e continua correndo.

Nessa hora senti um *tuim* prolongado nos ouvidos, igual ao da injeção de morfina que tomei antes de uma operação de apêndice, quando estava na faculdade. Segui caminhando como os demais, em obediência às ordens de comando dos voluntários que gritavam para não obstruirmos a passagem. Na multidão silenciosa, alguns se desorientavam, e só não caíam por falta de espaço. Do nada surgiam paramédicos negros, mais altos e fortes do que os jogadores da NBA, empurrando cadeiras de rodas que milagrosamente abriam passagem no meio da massa, na direção do desorientado.

Lentamente, saí do parque com a medalha e um plástico prateado distribuído para aquecer o corpo, no frio cinzento da tarde que caía. Andei quinze minutos contemplando a rua, os transeuntes, os carros, a fachada dos prédios antigos. Quando senti o calor aconchegante do saguão do hotel, estava muito feliz, em paz comigo e em harmonia com o universo.

Maratonista

Maratonista é todo aquele que completou uma prova de 42 quilômetros e se prepara para correr a próxima.

Correr maratona não é para quem quer; há requisitos genéticos fundamentais. Os corredores de elite costumam ter biótipos padronizados: são magros, com menos de 1,80 m, corpo esguio e musculatura alongada. Os africanos vencedores das principais maratonas do mundo são exemplos vivos dessa genética privilegiada.

Os que correm por diletantismo não precisam ter tais características, mas ajuda muito se as tiverem. Nas maratonas, já cruzei com homens altos, entroncados, com pernas grossas e musculatura achatada, que deviam pesar cem quilos ou mais, no entanto eram capazes de completar a prova em menos de quatro horas. Conheci um com essas particularidades físicas que dizia: "Duvidam que eu seja maratonista por causa do meu corpo, mas, quando você analisa a aerodinâmica do besouro, dá para imaginar que um bicho daqueles seja capaz de voar?".

A prova atrai mulheres e homens de todas as idades, raças,

grupos étnicos e classes sociais, com níveis diferentes de escolaridade e de cultura, oriundos de países díspares como Suécia, Indonésia, Japão, Quênia e Etiópia. Venham de onde vierem, todos têm alguns traços de personalidade e características comportamentais que lhes são comuns, como a disciplina e a obstinação com que se dedicam ao objetivo de correr 42 quilômetros.

Mal terminada a prova, o maratonista já pensa na próxima. No intervalo, poderá correr outras mais curtas, com dez ou quinze quilômetros, mas o fará como parte da preparação para a maratona, de longe a que mais excita seu imaginário.

Minha segunda maratona também foi em Nova York, em 1994. Dessa vez, estava mais treinado e sem a dor na panturrilha que atrapalhara a preparação no ano anterior.

Quando entramos no Central Park, pelo lado sul, na fase final, senti que ainda tinha energia para aumentar a velocidade, mas resisti à tentação. Forçar os músculos ao limite nos últimos quilômetros é jogo perigoso. Na maratona de 1993, tinha visto as pernas de um francês bambearem até ele cair perto de mim, gemendo com as câimbras que o atacaram no começo da rua 59, próximo ao Plaza Hotel, a meia milha do término.

Mantive constante a velocidade durante a travessia para o norte do parque, até atingir a rua 59, apinhada de espectadores que aplaudiam e gritavam para irmos em frente. Poucos metros depois da virada do Columbus Circle, a visão alentadora do portal de chegada que sinalizava o fim do sofrimento. Cruzei-o no momento em que o relógio marcava 3h38.

Estava cansado, lógico, mas não exausto como na primeira vez. Minha filha mais velha, Mariana, me aguardava com olhar acolhedor na saída do parque, na altura da rua 89. Voltamos devagar para o Olcott Hotel, que fica na 72, entre a Central Park

West e a Columbus Avenue, vizinho do prédio em que John Lennon terminou seus dias.

Tomei um banho demorado, descansei meia hora com as pernas para cima e fomos a um restaurante. Senti no corpo a diferença de correr mais treinado, fui capaz de andar pela Columbus sem me arrastar, sem a vontade irresistível de sentar no chão e sem as dores nas pernas da primeira maratona.

Entusiasmado com a redução do tempo, achei que conseguiria completar a prova seguinte em menos de três horas e meia, o que significaria fazer em média cada quilômetro em menos de cinco minutos.

Foi com essa intenção que me inscrevi naquela maratona exaustiva de Blumenau, em 1995. Estava convencido de que, se conseguisse atingir a marca de 3h30, seria capaz de completar a Maratona de Nova York daquele ano abaixo desse tempo.

Chicago, 2009

Educamos os filhos ao dar exemplos, palavras são de pouca valia. Nunca precisei dizer para minhas filhas e enteados que a vida sedentária faz mal para o organismo.

Em 2008, minha filha mais nova, Letícia, foi para os Estados Unidos fazer um estágio médico na Cleveland Clinic, em Ohio. Situada às margens do lago Erie, Cleveland é uma cidade típica do Meio-Oeste, com arranha-céus concentrados no centro, ermo depois das sete da noite, uma vez que a maior parte da população mora na periferia ou nas cidades vizinhas. Nas áreas arborizadas em que vive a classe média alta, as casas são amplas, sem muros nem cercas, com jardins gramados, repletos de árvores, flores na primavera e telhados inclinados para suportar o peso da neve que cai sem piedade, pelo menos de novembro a março.

Para o visitante que não é obrigado a passar meses em convívio com a brevidade dos dias escuros e temperaturas que eventualmente chegam a vinte graus negativos, a paisagem branca a perder de vista, a iluminação aconchegante das residências e os pinheiros carregados de neve espalham pela cidade a visão das ilustrações de Natal dos livros infantis.

Por razões de trabalho, comecei a visitar a Cleveland Clinic trinta anos atrás. Sou testemunha ocular de seu crescimento desde as primeiras ampliações, na década de 1980, prenúncio da formação de um dos maiores e mais completos centros médicos americanos. Em Cleveland aprendi a correr no frio. Nas primeiras vezes vestia uma regata, depois uma camiseta de mangas curtas, embaixo de outra de mangas compridas, um blusão por baixo de outro mais grosso, com zíper até o pescoço, comprado na primeira maratona que corri em Nova York, uma calça colante que ia até a canela, calção comprido, duas meias, luvas de montanhista, gorro de lã e boné. À medida que o corpo esquentava, o excesso de agasalho virava um trambolho amarrado à cintura. Demorei para ter coragem de passar um pouco de frio no início.

Quando já me considerava um experiente corredor em temperaturas abaixo de zero, fui a um simpósio do qual participavam três prêmios Nobel de medicina, em Keystone, estação de esqui no Colorado. O encontro comemorava os vinte anos da descoberta dos genes envolvidos na gênese das células malignas: os oncogenes. As conferências aconteciam no período da manhã e depois das seis da tarde, para dar tempo aos participantes que gostavam de esquiar.

Eu, que nunca esquiei nem esquiarei nesta ou na próxima encarnação, aproveitava as tardes para correr no asfalto de uma estradinha, enrolada feito cobra numa montanha próxima do hotel. Era uma subida ininterrupta. De um lado, o precipício com a floresta de pinheiros; do outro, o barranco com um monte de neve suja de terra. Descontado o asfalto cheio de sal descongelante que os tratores espalhavam e as nesgas de verde ainda visíveis nas árvores, o mundo estava vestido de branco. Fantasiado de esquimó, a cada dia aumentei a distância percorrida montanha acima. O esforço da ida era compensado pelo prazer da descida com o corpo aquecido, o blusão mais grosso aberto no peito, o vento gelado no rosto e o cenário de tirar o fôlego de quem vive entre os prédios de São Paulo.

No último dia do simpósio, anunciavam frio mais intenso, mas, quando saí para correr, às três e meia da tarde, a presença do sol, embora sem energia para derreter a revoada aleatória dos flocos de neve, dava a impressão de contradizer as previsões, que falavam em dez graus abaixo de zero para o fim da tarde. O treinamento dos dias anteriores deixou a ladeira menos íngreme. O vapor da expiração que se condensava ao sair das narinas ajudava a ritmar os movimentos respiratórios e a ausência de vento fazia esquecer que, quando eu saíra do hotel, o termômetro já marcava dois graus negativos. Na beira do barranco apareceu uma lebre de olhar atento e orelhas desproporcionais às dimensões do corpo que me olhou fixamente mas não se moveu enquanto passei. Há quanto tempo teriam desaparecido os caçadores daquelas paragens?

Uma hora mais tarde, os flocos de neve se aproximaram uns dos outros para formar uma cortina branca, em contraste com as nuvens cinzentas que engoliram o sol. Eu estava naquela fase otimista em que a cadência dos passos nos dá a impressão de haver atingido o estado de moto-perpétuo, capaz de nos levar aos confins do globo terrestre. No silêncio da nevada que abafava até o som do tênis no asfalto, continuei montanha acima. Pouco mais à frente, meus olhos e a estrada se encheram de neve e as nuvens escureceram, ameaçadoras como nos quadros de El Greco. Subitamente, fiquei arrepiado, com os pés insensíveis, frio no peito e nas costas, desmotivado e enfraquecido, com vontade de deitar encostado no barranco e dormir. Nunca havia imaginado que fosse possível sentir sono no meio de uma corrida. Sozinho, naquele ermo, tive medo.

Dei meia-volta e acelerei montanha abaixo, no limite das forças.

Não sei se foi o calor gerado pelo esforço muscular ou a temperatura externa que aumentou à medida que desci, ou as duas coisas, o fato é que aos poucos recuperei a disposição. Na metade do caminho, ouvi um ronco de intensidade crescente. Olhei para trás e vi um trator limpa-neve, com cara de poucos amigos, saindo da curva a cem metros de mim. O monte de neve à beira do barranco e o precipício do lado oposto não deixavam espaço para nós dois. Como a razão costuma estar com o mais forte, não hesitei: pulei para cima do monte. Abraçado a ele, com as pernas enterradas até os joelhos no gelo, quase fui soterrado por um banho de neve misturada com terra e com sal descongelante.

Imundo dos pés à cabeça, continuei a descer a montanha na maior velocidade que as pernas puderam alcançar. Minha aparência devia estar tão miserável, que um casal, no único carro que passou em sentido contrário, parou para me oferecer ajuda. Quando respondi que não havia necessidade, a moça na janela perguntou duas vezes: "*Are you sure?*".* Corri tanto, que gastei quase vinte minutos menos do que gastara para subir.

Em 2008, fui a Cleveland várias vezes. Numa delas corri dez quilômetros com minha filha. Era primavera, as árvores tinham a cor mais verde que conseguem adquirir no ano e os jardins das casas pareciam floriculturas: rosas enormes, dálias, papoulas, amores-perfeitos e outras que não conheço. Era uma festa de pássaros cantores e esquilos arredios que trepavam nas árvores carregando pequenas nozes. Grãos de pólen e sementes voadoras viajavam com o vento para infernizar a vida dos alérgicos. O prazer de correr com Letícia me encheu de orgulho, por ela e por mim. Quando paramos, contei que estava pensando em participar da Maratona de Chicago do ano seguinte, e sugeri que corrêssemos juntos. Ela respondeu que jamais conseguiria.

---

* "Tem certeza?"

Maratonas assustam porque os despreparados acham que a exaustão os levará ao óbito. Não se dão conta de que só vence os 42 quilômetros quem treina durante meses ou anos. Nem os quenianos quebradores de recordes chegariam ao fim da prova depois de um ano de vida sedentária.

Ela começou a treinar. No inverno de Cleveland, corria nas esteiras de uma pequena academia do prédio onde morava. Quando veio a primavera, voltou a correr nas ruas arborizadas. Num domingo em que pela primeira vez completou trinta quilômetros, ligou para mim assustada: estava na cama, com enjoo e calafrios, sozinha no apartamento, sem saber como agir. Tinha ligado para um casal de amigos médicos, mas não os encontrara.

Fiquei aflito, porém tentei não demonstrar. Sugeri que tomasse suco de laranja em goles pequenos e procurei acalmá-la. Insisti que deitasse e se cobrisse com dois cobertores, que o mal-estar acabaria em alguns minutos e que os sintomas eram frequentes em maratonistas inexperientes. Enquanto conversávamos, chegou Lobato, o amigo médico que recebera seu recado, trazendo uma rapadura comprada sabe lá em que diabo de supermercado da cidade. Quando desliguei, tive certeza de que iríamos juntos para Chicago. Quem é capaz de fazer trinta quilômetros nas semanas que antecedem a prova tem grande chance de conseguir completar os 42.

No domingo da maratona, tomamos café no quarto do hotel, sem fazer barulho para não despertar minha mulher, e seguimos a pé para a concentração no Millenium Park, uma área agradabilíssima localizada junto a um dos maiores museus dos Estados Unidos, o Art Institute of Chicago, na Michigan Avenue, rua central com tantas lojas, hotéis e shoppings que a modéstia típica dos americanos decidiu denominá-la The Magnificent Mile.

Fazia frio, mas estávamos agasalhados. Mais de 30 mil mulheres e homens formavam uma multidão cheia de cores, ansiosa para ouvir a ordem de partida. Eu, com a sensação de medo que me faz companhia nesses momentos; Letícia, mais assustada ainda. Por sugestão dela, havíamos combinado que cada um correria a seu modo para que ela não me retardasse nem fosse forçada a me acompanhar numa velocidade maior, estratégia que me pareceu lógica até o momento em que foi dada a partida. Tinha sentido deixar de correr ao lado de minha filha, na primeira maratona? Perder aquele momento histórico de nossas vidas, que ela contaria para os filhos e netos anos depois da minha morte?

Comuniquei-lhe minha decisão assim que começamos a correr. Ela se opôs, disse que eu faria o pior tempo da vida. Respondi que já havia completado muitas maratonas e que a alegria de estarmos juntos valia muito mais. Na história da humanidade, a quantos pais de 66 anos foi concedido o privilégio de correr 42 quilômetros com a filha 32 anos mais nova?

Com todo o cuidado para acompanhar o ritmo dela, segui pelas ruas encantado com os prédios de Chicago, cidade que tinha casas e calçadas de madeira quando foi consumida pelo incêndio de 1871. Dizem que o fogo começou num celeiro, no momento em que jogadores de cartas teriam derrubado um lampião a querosene ou uma vaca teria dado um coice num lampião durante a ordenha, boatos jamais confirmados. O fato é que Chicago, castigada por três meses de seca, ardeu do dia 8 ao dia 10 de outubro. A área destruída chegou a nove quilômetros quadrados, nos quais foram encontrados 120 corpos, mas relatos da época afirmam que morreram mais de trezentas pessoas, a maioria carbonizada. Dos 300 mil habitantes, 100 mil ficaram sem abrigo.

A reconstrução teve início no primeiro dia após a extinção das chamas. Nas décadas seguintes, afluíram para lá os arquitetos que projetaram a linha de arranha-céus que eu admirava enquanto corria. Foi a maior concentração de talentos da história da arquitetura americana. A criatividade de Louis Sullivan, Daniel Burnham,

John Root, William Jenney — os mais conhecidos — lançou as bases da Escola de Chicago, que influenciaria gerações de arquitetos no mundo inteiro, com a filosofia implícita de que a forma deve seguir a função.

A partir do quilômetro 25 notei Letícia bem cansada. Como o pior ainda estava por vir, pedi que diminuíssemos a velocidade. Na marca dos trinta, ela tirou os fones de ouvido:

— Pai, não acredito que depois de todo esse esforço ainda faltam mais doze.

— Filha, os maratonistas dizem que agora é que as maratonas começam. Procure fazer como os mais experientes: evite pensar na distância que falta, e pense em quantos quilômetros ficaram para trás.

Na velocidade em que íamos, a corrida para mim era um passeio descontraído pelas ruas de Chicago. Consegui relaxar a ponto de tirar demoradamente os olhos do chão e detê-los na paisagem urbana. No quilômetro 36, perguntei se o cansaço estava insuportável. Letícia respondeu que dava para continuar e que os quilômetros restantes equivaliam à distância que anos antes ela e Malu, colega de turma na faculdade, se orgulhavam de correr no Parque Ibirapuera. Insisti que era preciso administrar a exaustão nos seis quilômetros mais duros da prova, e reduzimos ainda mais a velocidade. Repeti várias vezes "você vai conseguir", palavra de ordem que repito para mim mesmo no fim das corridas longas.

Fomos assim, diminuindo gradativamente a velocidade, até a reta final, quando emparelhamos com uma senhora de cabelos brancos e rosto vincado que aparentava mais de oitenta anos, correndo em passos miúdos porém decididos. Nessa hora, sugeri que fôssemos mais depressa para não aparecer na foto da linha de chegada ao lado de uma corredora de tanta idade. Mais tarde ficaria difícil aguentar a gozação dos amigos sedentários.

Nos últimos metros, Letícia segurou minha mão esquerda. Cruzamos a linha de mãos dadas, erguidas para o alto. Completamos a prova em cinco horas exatas; eu nunca havia corrido tantas horas consecutivas. Demos mais alguns passos e nos abraçamos. Se um pai disser que não chorou numa hora dessas, é desalmado ou mentiroso.

Rio de Janeiro, 2013

No começo de 2013, aceitei o convite de minha amiga Zélia Duncan para corrermos em julho a Maratona do Rio de Janeiro, prova da qual eu nunca havia participado. No dia que a antecedeu, meu enteado Gabriel decidiu nos acompanhar durante os primeiros 21 quilômetros, mesmo estando destreinado.

Não sei onde eu estava com a cabeça naquela noite. Minha desatenção foi tanta que não cortei as unhas dos pés, não separei as roupas para o dia seguinte, como sempre faço, nem fui cedo para a cama. Às cinco horas, quando o despertador tocou, desliguei-o, para descansar os fatídicos dez minutos a mais. Às cinco e meia acordei com o interfone. Gabriel me esperava num táxi, no horário combinado.

Fiquei apavorado. Comi não lembro o quê, voando, vesti o calção, a camiseta com o número e saí com os tênis na mão para calçá-los no elevador. Na pressa, esqueci o boné, os óculos escuros, e não lembrei de proteger os mamilos com o esparadrapo que me esperava num canto da pia do banheiro. Como desgraça pouca é contratempo, o trânsito para o Recreio dos Bandeirantes estava congestionado. Às tantas, achei que ia perder a prova. Senti ódio de mim, cretino: tamanha irresponsabilidade só porque a maratona era em casa.

Chegamos em cima da hora, não encontramos a Zélia e fomos colocados à frente, gentileza de uma das organizadoras com o Gabriel, que na época atuava na novela das onze da TV Globo, *Saramandaia*. Ficamos entre o pelotão de elite e os demais corredores. Achei perigoso: assim que fosse dada a partida, o estouro da boiada passaria por cima de nós. Quando fui pedir que nos deixassem mudar de lugar, era tarde — a prova começara. Gabriel e eu saímos bem encostados na grade lateral, um atrás do outro, até que os mais afoitos partissem; sem esse cuidado, teríamos sido atropelados pela massa eufórica.

Passado o susto, a multidão de camisetas coloridas deu uma volta pelas ruas do Recreio e chegou à avenida Lúcio Costa, que beira o mar. Ao longe, o morro Dois Irmãos e a Pedra da Gávea, imponentes, indiferentes às limitações da condição humana. Já alto às sete da manhã, o sol batia de frente. Que falta faziam os óculos escuros e o boné do cretino.

Assim que as montanhas e o mar apareceram, um corredor de camiseta verde-limão me alertou com a isenção habitual dos cariocas ao referir-se à cidade: "Pode se preparar, doutor, você vai correr a maratona mais bonita do mundo". A prova segue à beira-mar por muitos quilômetros, com os prédios à esquerda, os coqueiros, o oceano à direita, com o azul que se perde no horizonte, o morro Dois Irmãos e a Pedra da Gávea, altaneiros.

Quando completamos quinze quilômetros, aquelas rochas vulcânicas que sempre me encantaram na paisagem da cidade começaram a me irritar. Tanto esforço naquele sol sádico, e as montanhas lá, mastodônticas, impassíveis, só para dar a impressão de que estávamos parados.

No quilômetro 18, Gabriel virou-se para mim: "Vai embora,

estou muito cansado". Respondi que não tinha pressa, e reduzimos a velocidade. No 20, lamentou em voz baixa: "Que absurdo, não chega nunca". O marco do quilômetro 21 foi um alívio para ele, que saiu da pista com um ar de felicidade dos tempos de criança. Para mim, nem tanto; estava apenas na metade do martírio. Meus mamilos começavam a arder. Aproveitei para pedir um pedaço de esparadrapo no posto de atendimento, providência de pouca ajuda, porque com o peito molhado de suor o esparadrapo descolava. Seja o que o diabo quiser, pensei.

Ver a Pedra da Gávea desaparecer por trás dos Dois Irmãos foi um alento. Saber que a paisagem mudaria serviu de consolo para enfrentar a subida do Joá, nem tão íngreme, mas longa. Na descida, junto ao morro do Vidigal, veio em sentido contrário um grupo de rapazes. Um deles, de bermuda, sem camisa, cordão de ouro no pescoço, uma latinha de cerveja em cada mão, levantou os braços para reclamar num cantado de Moreira da Silva: "Bonito. Vocês aí, na moleza da descida, enquanto nós, aqui, sofrendo nesse subidão".

Depois de percorrer trinta quilômetros, a maratona chegou ao Leblon, com o calçadão lotado de gente em movimento. Na plateia, ouvi o chamado de minha mulher e vi que ela estava com minha nora e Gabriel, que pegara um táxi no quilômetro 21 e fora encontrá-las. Numa hora dessas, um beijo na boca, mesmo de passagem, revitaliza mais que glicose na veia.

Aí começa a fase mais dura. Há que percorrer o Leblon e Ipanema, para então atravessar Copacabana inteira, Botafogo e boa parte do Aterro do Flamengo. É preciso ser de ferro para não sentar num daqueles quiosques do calçadão, no meio de gente bonita, pedir um chope bem gelado e mandar a maratona para o inferno ou para mais longe ainda. Essa vontade não faltou naquele momento. Já não estava bom ter completado trinta quilômetros? Que motivação nos faz persistir sem levar em consideração os lamentos do corpo exaurido? O que pretendemos provar aos outros e a nós mesmos?

As maratonas atraem indivíduos obstinados que encontram graça em criar desafios. É lógico que o preparo físico adquirido, os benefícios à saúde, a admiração que causa no imaginário alheio a capacidade de correr tanto, servem de estímulo, mas constituem motivações secundárias. Acima de tudo está o desejo de demonstrarmos a nós mesmos que temos força de vontade, disciplina e destemor para enfrentar o desânimo e as dores que surgirão no percurso até a linha de chegada, aprendizado que nos tornará mais resistentes às intempéries impostas pelo destino.

Ao chegar à praia de Botafogo, com o Pão de Açúcar e os barcos na enseada, minhas pernas já não me pertenciam, meus mamilos deixavam duas rodas concêntricas de sangue na camiseta, as unhas dos pés doíam, o sol ofuscava os olhos, a careca desprotegida ardia sob aquela bola de fogo que não dava um minuto de trégua. O corpo era um fardo torturante, impermeável à menor sensação de prazer. A fisionomia de meus companheiros de infortúnio não podia ser mais lamentável. É possível que achassem o mesmo da minha. Como fui esquecer o esparadrapo e o boné, em pleno Rio de Janeiro? E as unhas dos pés, que nunca havia machucado? Pela primeira vez, iria perdê-las como tantos maratonistas?

Nesse estado de espírito, com pesar notei que a praia de Botafogo faz uma curva sem fim, quase 360 graus, detalhe despercebido a quem passa de carro. Fiquei com ódio da enseada, dos barquinhos, das velas brancas, do Pão de Açúcar, do sol, do braço suado que resvalou no meu, da areia, dos banhistas embaixo do guarda-sol, dos transeuntes alheios às nossas misérias e do maldito bondinho abarrotado de gente desocupada. Como sair vivo daquela curva assassina?

Quando finalmente entramos no Aterro, empurrado pelos

espectadores que gritavam palavras animadoras, enxerguei um raio de luz no fim do túnel. A estratégia havia dado certo: apesar dos 33 graus, terminaria a prova num tempo razoável. Mal cruzei a linha de chegada, fui invadido por uma sensação de paz celestial, senti um *tuim* nos ouvidos igual a barato de droga, com vista para o Corcovado e o Cristo Redentor.

Caminhei de volta, atrás de um táxi. O Pão de Açúcar continuava lá, com o bondinho, a areia, os barcos e os reflexos do sol na água. O rapaz de camiseta verde tinha razão: aquela foi a maratona mais bonita que corri.

Boston

Boston está para os maratonistas como Meca para os muçulmanos.

Foi a primeira maratona dos tempos modernos, disputada em abril de 1897 por quinze corredores, cinco dos quais desistiram no caminho. A mística não se restringe ao fato de ser a mais antiga, mas à exigência de pré-qualificação: para ser aceito, o candidato precisa comprovar que correu nos doze meses anteriores uma maratona abaixo de determinado tempo, que varia com a faixa etária.

As inscrições são abertas pela internet numa segunda-feira. O primeiro dia está reservado para os que no ano anterior completaram uma prova em mais de vinte minutos abaixo da linha de corte. Portanto, se na faixa etária do corredor o limite for de 3h10, a segunda-feira fica à disposição daqueles com tempos inferiores a 2h50.

Havendo vagas, na quarta-feira estão autorizados a inscrever-se os que o fizeram entre vinte e dez minutos abaixo da linha de corte. No exemplo citado, seriam os que obtiveram tempos entre 2h50 e 3h. Se ainda sobrarem lugares, na sexta-feira inscrevem-se os que terminaram uma prova anterior até cinco minutos abaixo do limite proposto. No caso, os que ficaram entre 3h e 3h05.

Os organizadores levam ao pé da letra a questão dos limites — não admitem um segundo a mais. Se para determinada idade a linha de corte for 3h10, e o melhor tempo do pretendente foi 3h10min01, ele não será aceito. Para o candidato ser qualificado, a maratona da qual ele participou nos doze meses anteriores deve ser oficial, com percurso certificado por um órgão governamental afiliado à International Association of Athletics Federations e com resultados finais acessíveis pela internet.

O quadro abaixo mostra os limites de tempo para cada faixa etária:

IDADE	HOMENS	MULHERES
18-34	3h05	3h35
35-39	3h10	3h40
40-44	3h15	3h45
45-49	3h25	3h55
50-54	3h30	4h
55-59	3h40	4h10
60-64	3h55	4h25
65-69	4h10	4h40
70-74	4h25	4h55
75-79	4h40	5h10
80+	4h55	5h25

A disputa pelas inscrições é acirrada. No dia 18 de outubro de 2010, os primeiros 20 mil lugares para a prova de 2011 foram preenchidos em apenas oito horas.

A partir de 2012, os organizadores ajustaram todas as linhas de corte para cinco minutos a menos, detalhe que me impediu de tentar a inscrição para o ano seguinte, por muito pouco. Nesse ano, eu tinha corrido a Maratona de Berlim em 4h12, marca insuficiente para ser aceito em Boston em 2013, por apenas dois minutos. Eu estava com 69 anos, idade para a qual as regras novas passaram a exigir 4h10 como tempo máximo.

Por dois insignificantes minutos eu não estava presente na maratona e não vivi a experiência trágica: dois rapazes da Tchetchênia colocaram bombas no meio dos espectadores aglomerados nas proximidades da linha de chegada da Boylston Street, na calçada oposta ao prédio imponente da Biblioteca Pública da cidade. As cenas foram de horror: pessoas ensanguentadas, nuvem escura de fumaça, pernas arrancadas, chuva de cacos de vidro espatifados, correria, desespero, pânico, mais de duas centenas de feridos e três mortos. Entre estes, um menino de oito anos que esperava com a mãe e as irmãs pelo pai corredor.

Armadas em panelas de pressão, duas bombas explodiram num intervalo de treze segundos, quando a prova completava quatro horas de duração. O ataque foi planejado para obter o máximo de letalidade, porque a marca de quatro horas coincide com a chegada de muitos participantes e com a aglomeração dos familiares e amigos que aguardam para saudá-los.

A prova foi suspensa e a cidade parou. O transporte público foi paralisado e proibiram-se os voos a baixa altitude dos aviões pequenos. A população se recolheu a suas casas para deixar as ruas desertas até a polícia localizar os rapazes, um dos quais foi morto e o outro, ferido e preso.

Fiquei chocado com as imagens de desespero no rosto dos que haviam escapado da explosão, mostradas em tempo real pelos telejornais. Em nome de que ideologia ou fé religiosa um fanático assassina indiscriminadamente crianças e adultos que nenhum mal lhe fizeram?

Boston, 2014

Completei a Maratona do Rio em quatro horas e dezessete minutos, tempo pior que o de Berlim, em 2012, porém inferior ao limite de quatro horas e 25 minutos estabelecido em Boston para a faixa dos 70 aos 74 anos de idade, à qual eu agora pertencia.

Fiz a inscrição pela internet no primeiro minuto do dia reservado para aqueles que estavam menos de cinco minutos abaixo da linha de corte. Aguardei a resposta conferindo o e-mail várias vezes por dia. Ao receber a confirmação, senti uma alegria igual à que tomava conta de mim depois de marcar gol no futebol, na calçada da fábrica em frente de casa, no Brás.

O esforço de vinte anos de treinamento e de tantas provas era coroado aos setenta, idade emblemática para correr a maratona mais disputada do mundo. Parecia um sonho. Tive a mesma excitação daquela primeira que corri, aos cinquenta anos, para provar a mim mesmo que a decadência ainda não havia chegado.

Comecei a treinar com mais disciplina. Resolvi eliminar o tempo para ir e vir do Parque Ibirapuera, passei a correr por Higienópolis — o bairro em que moro — e pelo Pacaembu, em trajetos com muitas subidas e descidas. Perdi o medo de ser atropelado que me impedia de correr nas ruas; bastava atenção redobrada nos cruzamentos.

Para dar conta da preparação, acordava às cinco da manhã, ou antes, pelo menos quatro vezes por semana. Reduzi ao mínimo os compromissos noturnos, mas não pude diminuir o ritmo de trabalho. Em abril, intensifiquei a prática de treinos longos. Um mês antes da maratona, corri trinta quilômetros, distância que seria repetida mais duas vezes. Quando faltavam dezoito dias, corri 36.

Numa quarta à noite, viajei para Boston com Mariana, minha filha mais velha. Na sexta, Letícia, que agora morava em Nova York, juntou-se a nós. Apesar da ausência de minha mulher, que participava de uma filmagem na Bahia, eu tinha a sensação de que a vida estava completa. Quando poderia imaginar, na juventude, que chegaria aos setenta anos em condições físicas de correr 42 quilômetros?

Nos dias seguintes, não treinei mais; fomos ao museu e passeamos pela cidade. Fazia frio. Na sexta-feira, hordas de tênis e agasalhos esportivos invadiram as ruas. Alguns, como eu, apenas andavam, outros corriam. Fiquei na dúvida se estava fazendo o melhor, se não deveria treinar um pouco mais, mas resisti.

No sábado fomos buscar o material e o número de inscrição, que já vinha com o chip colado na parte de trás. Havia sol, a Boylston Street estava em festa: calçadas congestionadas, cafés lotados, lojas abertas, e a multidão alegre e colorida das vésperas de maratonas a caminho do prédio onde o material seria distribuído. O portal da linha de chegada já estava armado. Ao passar por ele, imaginei o alívio que sentiria se conseguisse cruzá-lo.

Véspera de maratona é dia de inquietude. Por mais que você procure não pensar na prova, é impossível evitar as idas e vindas da ansiedade que emerge do pano de fundo. A experiência em outras competições ajuda um pouco. Há principiantes que não pregam olho à noite e, mesmo assim, conseguem fazer os 42 quilômetros. O ritual começa no jantar. A maioria dos maratonistas segue a orientação de comer massas, para aumentar as reservas de carboidratos que serão armazenados nos músculos sob a forma de glicogênio, essencial para o esforço da manhã seguinte.

Obedeci a essa recomendação até a Maratona de Chicago de 2009, que corri em companhia de minha filha mais nova. Na noite que antecedeu a prova, havia filas nas calçadas em frente aos restaurantes italianos da cidade; previsão de duas ou três horas para conseguir mesa. Acabamos num restaurante especializado em frutos do mar, desprezado pelos maratonistas. No cardápio, a única alternativa para as calorias minguadas dos peixes e crustáceos era um filé-mignon, servido nas porções generosas da mesa americana. Como proteínas e gorduras mantêm a saciedade por mais tempo do que os carboidratos, acordei sem fome. Tomei café com pão e queijo, e durante a corrida tive a impressão de estar bem alimentado.

Desde então, procuro ingerir mais carboidrato no café da manhã e no almoço da véspera; no jantar, vou a uma churrascaria. Deve ser mais um dos erros que cometo, mas fico bem assim.

Para evitar congestionamentos e as ultrapassagens das partidas, em Boston os competidores não partem simultaneamente, mas em ondas. Das 8h50 às 9h17, saem aqueles com deficiência física e os que irão de cadeira de rodas. Às nove horas é a vez da elite feminina; trinta minutos mais tarde dispara a elite masculina, seguida da primeira onda de corredores mais velozes. Ordenadas no sentido dos mais rápidos para os mais lentos, de acordo com a performance mencionada na pré-qualificação, a segunda, a terceira e a quarta onda partem com intervalos de trinta minutos. Como os chips são ativados apenas ao passar pelos sensores dispostos na linha de partida, os horários de saída e chegada não interferem na contagem final do tempo.

A maratona das maratonas

Acordei duas vezes na madrugada que antecedeu a maratona de 2014. Às cinco horas achei melhor levantar.

Um café a duas quadras do hotel estava aberto desde as quatro. Comprei dois daqueles pães redondos com um buraco no meio — que eles chamam de *bagel* —, queijo, café e voltei para o quarto. Tive que fazer força para terminar o segundo pão. Depois, os americanos se queixam da obesidade.

Vesti a roupa, respondi e-mails até as oito horas, saí e acompanhei a turba na direção do parque onde se concentravam os ônibus escolares que nos levariam ao ponto de partida, na cidadezinha periférica de Hopkinton. Organização de dar inveja: de acordo com a cor e o número de inscrição preso com alfinetes à camiseta, identificava-se o ônibus que conduziria cada um de nós. Sentei no fundo, no único banco individual. Por causa do tráfego, demoramos quase uma hora para chegar às casas brancas de Hopkinton, lugarejo com menos de 15 mil habitantes. Difícil não ser intimidado pela distância que o ônibus percorre. Voltar tudo aquilo correndo?

A concentração acontece numa área imensa, com grandes tendas brancas armadas para servir de abrigo, que podem ter mil utilidades menos a de proteger contra o vento frio. Na grama, aguardei a chamada da minha onda enrolado num plástico que achei no chão, sob o sol anêmico e fugidio. Quando os alto-falantes convocaram a terceira onda, saímos rumo à linha de partida, que fica a mais de um quilômetro. No caminho, um rapaz de dois metros que vinha atrás de mim reclamou para o amigo: "Essa prova tem mais de 43 quilômetros".

O trajeto começa com uma descida de cerca de mil metros. Excitados, aos gritos, muitos dispararam para aproveitar o declive. Resisti à tentação: todo cuidado é pouco nos quilômetros iniciais. Até encontrar o ritmo ideal das passadas, o menor exagero pode levar à exaustão antes do final.

De Hopkinton até a Boylston Street, em Boston, a corrida atravessa cidadezinhas muito parecidas, de pequenas casas de madeira branca, com telhado inclinado para enfrentar o peso do inverno: Ashland, Framingham (onde fizeram o estudo famoso sobre a relação dos níveis de colesterol com o risco de ataques cardíacos), Natick, Wellesley, Newton e Brookline.

Por causa do atentado de 2013, o policiamento estava reforçado. Além dos helicópteros que nos sobrevoavam, havia um policial a cada cem metros, de ambos os lados da estrada. A fim de demonstrar repúdio ao ataque do ano anterior e solidariedade com os corredores que prestigiavam a prova, a população veio em massa para aclamar o evento.

Em outras maratonas, os espectadores se concentram em determinadas áreas, deixando espaços vazios eventualmente extensos. Em 2014, mesmo em partes não habitadas da estrada espectadores nos aplaudiam e, aos gritos, nos exortavam a seguir em frente. Lamentei tanto alarido: um dos prazeres das corridas é o silêncio quebrado pelo som rítmico das passadas no asfalto.

Costumo correr sozinho, sem ouvir rádio nem música. É a contrapartida ao tumulto em que passo os dias, em meio às solicitações dos pacientes, aos horários a cumprir, aos e-mails cobrando respostas que não tenho e ao inferno do celular que não para. Sinto inveja daqueles que terminam o trabalho no fim da tarde e vão para casa com a sensação do dever cumprido. Por mais que me empenhe, não há uma noite em que eu consiga ir para a cama sem lembrar do telefonema que não dei, dos e-mails que não pude enviar, da mensagem do WhatsApp que não respondi, dos convites para palestras, reuniões e compromissos sociais que preciso encontrar as palavras adequadas para recusar.

É no silêncio da corrida que me encontro comigo mesmo. Passo uma, duas horas, sem falar nem ouvir os outros, atento ao ritmo das respirações, às contrações dos músculos das pernas, às pisadas, às mudanças de velocidade e às dores que porventura apareçam, contato com o corpo impossível de manter durante os afazeres diários.

Quando passamos por Wellesley, diante de um *college* feminino havia uma fila de garotas numa balbúrdia infernal. Seguravam cartazes: "*Kiss me, I love sweated men*"; "*Kiss me, you'll never regret*"; "*Kiss me, I'll make you happy*".* A manifestação era tradicional, colorida, estridente e compacta; ocupava mais de duzentos metros do lado direito da estrada. Perto do final, no cartaz de uma menina rechonchuda: "*Kiss me, I'm sexually frustrated*".** Já tínhamos percorrido 21 quilômetros, e poucos se animavam a atender aos apelos. A gordinha frustrada foi a que recebeu mais beijos. Um quilômetro à frente ainda era possível escutar o vozerio das adolescentes.

---

* "Me beija, adoro homens suados"; "Me beija, você não vai se arrepender"; "Me beija, eu o farei feliz".
** "Me beija, sou sexualmente frustrada."

Os veteranos dizem que é preciso cuidado com as ondulações do trajeto de Boston, porque a alternância de subidas duras com descidas que incitam a aumentar a velocidade descontrola o corredor. Têm toda a razão. No quilômetro 26, por exemplo, há uma descida de cerca de oitocentos metros até o rio Charles, seguida de uma ladeira forte, a cujo topo muitos chegavam andando. Fiquei surpreso. Imaginei que a exigência de pré-qualificação eliminasse os maus planejadores, forçados a caminhar quando ainda faltava mais de um terço da distância a cumprir. Mais tarde, li que Dave McGillivray, diretor da prova por vários anos, considerava aquela subida o maior desafio de todo o percurso.

Depois dela, surgem outras ladeiras, conhecidas como Newton Hills. A quarta é o Heartbreak Hill, que se levanta entre os quilômetros 32 e 34, temido "paredão" da prova. Embora a subida nem seja tão íngreme, 27 metros na vertical, está situada num momento delicado do trajeto. O nome Heartbreak Hill foi dado a essa ladeira em 1936, quando o campeão americano John Kelley, ao ultrapassar Ellison "Tarzan" Brown, consolou-o com um tapinha no ombro, ironia que teria "partido o coração" do adversário. Cheguei ao topo com relativa facilidade, consequência dos treinos nas subidas e descidas de Higienópolis e do Pacaembu. Nessa hora, senti que completaria a prova, ainda que fosse preciso diminuir o ritmo.

Não sou capaz de descrever o que se passou no intervalo entre o quilômetro 35 e o 39, amnésia temporária repetida em diversas maratonas. Não sei explicar. É como se a exaustão causasse um déficit de memória que nem a adrenalina liberada pela perspectiva do fim próximo conseguisse espantar. A primeira lembrança que tenho dessa fase foi a de ver as ruas lotadas e de ouvir um espectador nos incitar em inglês: "De agora em diante, tudo é descida". Não era bem verdade, mas a esperança me ajudou no esforço derradeiro.

Nos dois últimos quilômetros, eu só conseguia pensar no momento de pisar na Boylston Street. Tentava me distrair procurando na multidão das calçadas um tipo exótico, um cartaz engraçado, alguém com roupa extravagante, o rosto de uma mulher bonita, em vão: o que restava de energia para o pensamento estava concentrado na imagem do portal de chegada.

Quando virei finalmente a esquina da Boylston, tomei um choque: o portal estava muito mais longe do que eu imaginara. As calçadas repletas que nos exortavam aos mantras de "*go, go, go*"* e a claridade do sol só serviam para aturdir-me os sentidos. A exaustão das pernas se espalhava pelo corpo, a linha de chegada ficava mais distante. Cadê minhas filhas? Será que passei sem vê-las? Que loucura levaria alguém a explodir uma bomba de pregos no meio de tanta gente? Não há limite para a perversidade humana.

Faltavam menos de cem metros quando um arrepio percorreu meu corpo e me deu energia para acelerar o passo, até atingir o piso azul da chegada, entre os corredores que erguiam os braços em pose triunfal para os fotógrafos. Não levantei os meus. Segui andando. Peguei a primeira garrafa de água que me ofereceram e o agasalho de plástico para manter o corpo aquecido. Uma menina loira disse "*Congratulations*"** e pendurou a medalha em meu peito. Mantive a cabeça baixa, com o olhar na direção do asfalto negro para evitar o reflexo do sol no branco das camisetas à minha frente, claridade fotofóbica que me castiga a retina nos finais de maratona. Não conheço a explicação nem sei se esse desconforto visual acontece com outros corredores.

No meio da multidão, ouvi a voz de minhas filhas junto à cerca metálica. Abracei as duas. Tinham acompanhado a prova

---

* "Vai, vai, vai."
** "Parabéns."

inteira em tempo real pela internet no celular: "Pai, você completou em quatro horas e dois minutos". Foi a melhor marca dos últimos anos, a mesma da primeira maratona que corri em Nova York para provar que a decadência não havia chegado aos cinquenta anos. Nem aos setenta, pensei naquela hora.

Tóquio, 2015

Tóquio está para o século XXI como Nova York esteve para o século XX.

É a megalópole mais moderna e civilizada do mundo. Seus 14 milhões de habitantes se distribuem de forma compacta pela cidade inteira, com arranha-céus e centros comerciais espalhados por tantos bairros que perde o sentido delimitar um centro. A arquitetura arrojada dos prédios de escritório, o comércio e as gigantescas lojas de departamentos contrastam com as casas geminadas das ruazinhas laterais, os restaurantes com fachadas do Japão antigo, e o emaranhado de postes e fios elétricos iguais aos das periferias brasileiras. A maior atração, no entanto, fica por conta do povo japonês. A organização, a seriedade no trabalho, o respeito ao próximo, a obediência às leis, a civilidade no convívio e a honestidade das pessoas nos fazem crer que a humanidade poderá ter um futuro menos sombrio do que aquele sugerido pela nossa sociedade e pela sociedade de outros países.

Foi minha quarta visita ao Japão, dessa vez para correr a Maratona de Tóquio. A ideia surgiu num jantar com Maria Augusta

Gomes, Philippe Reichstul e Isay Weinfeld, companheiros de outras viagens, que tirariam férias no mês de fevereiro. Pelo calendário, se Regina e eu nos juntássemos a eles, poderíamos aproveitar para conhecer algumas cidades do interior, em companhia da amiga Mari Hirata, brasileira que vive no país há muitos anos. Na mesma noite liguei para minha parceira de corridas, Zélia Duncan: passaríamos uma semana com eles e outra em Tóquio para participar da prova, considerada uma das seis maiores do mundo. Pouco antes da viagem, outra amiga, Flávia Soares, juntou-se a nós. Conviver com amigos inteligentes e bem-humorados é uma combinação imbatível.

O contato com os costumes e a organização do país começou no momento em que chegamos ao hotelzinho onde passaríamos apenas aquela noite e nos demos conta de que faltava uma das malas de mão. Na confusão para entrarmos na van que nos trouxe do aeroporto de Narita, ela ficara no chão do estacionamento, sem cadeado nem etiqueta de identificação. Quando o motorista, que só falava japonês, enfim entendeu o problema, dirigiu-se ao *concierge*, um jovem de capote cinza-claro e gravata preta, com rudimentos de inglês, que imediatamente pegou o telefone.

O telefonema durou mais de uma angustiante meia hora, na qual o rapaz dizia frases curtas na língua natal alternadas com intervalos de silêncio que persistiam por minutos, sem mover um músculo da face nem levantar os olhos em nossa direção. Era como se conversasse com um amigo imaginário agachado atrás do balcão em sua frente.

Qual a chance de alguém se dar o trabalho de levar para a seção de achados e perdidos uma mala aberta, sem identificação, contendo vários objetos e um computador MacIntosh, encontrada no estacionamento de um dos maiores e mais movimentados aeroportos do mundo? Qual a probabilidade de aquele menino localizá-la por telefone? Para que número teria ligado sem consultar nenhuma agenda?

De repente, seus lábios esboçaram um movimento sutil que ficou longe de um sorriso. Pela primeira vez, levantou os olhos: "Acharam. Vão deixar na recepção do hotel amanhã antes do meio-dia. A taxa de entrega é de dezessete dólares". Só então se despediu o motorista da van que, feito estátua, aguardava o desenlace ao nosso lado. No dia seguinte, no horário estipulado, a mala chegou com o computador e os demais pertences, intocados.

Três dias mais tarde, pegamos um trem local em Kurishiki que nos deixaria em Nagoya, de onde um trem-bala nos levaria para Hiroshima. Da cidade devastada pela bomba atômica de 1945, outro trem local nos conduziria até a balsa que faz a travessia para a ilha de Myiajima, cartão-postal do sul do país. Assim que nos acomodamos no trem-bala, Zélia se deu conta de que tinha esquecido o celular, na afobação de juntar as malas para descer do trem local na estação de Nagoya. Em japonês, Mari Hirata pediu ajuda ao funcionário que passou para conferir os bilhetes. Quando estávamos prestes a desembarcar em Hiroshima, ele retornou e perguntou o endereço para onde o telefone deveria ser encaminhado. Na manhã seguinte, o celular nos aguardava na recepção do hotel da ilha.

A responsabilidade com os bens alheios e com o cumprimento de prazos de entrega é de tal ordem, que os hotéis oferecem um serviço de remessa de bagagens através do qual a pessoa, ao sair, envia as malas para casa ou para o hotel da próxima cidade a ser visitada, por menos de vinte dólares. O prazo de entrega é de 24 horas.

Apesar de encantar o turista, a vida no Japão talvez seja dura para os japoneses. As casas e os apartamentos em que habita a maioria são caros e tão pequenos que privacidade é privilégio de poucos. Para viver em moradias com preços acessíveis à classe média, é preciso estar disposto a enfrentar uma hora ou mais de trem e metrô até o trabalho.

As regras de convivência são rígidas e as leis, aplicadas com rigor. Ninguém atravessa a rua fora da faixa nem com o sinal vermelho, mesmo que não haja movimento. Nos cruzamentos mais concorridos é tanta gente que se acumula de um lado e de outro à espera do sinal verde, que dá medo de choques e cotoveladas com a turba do sentido contrário. Temor infundado, ninguém esbarra no outro.

Tóquio é uma cidade de multidões em movimento. É gente por todos os lados, nas ruas, lojas, prédios de escritório, elevadores, escadas e nas estações de trem e metrô, verdadeiras cidades subterrâneas tomadas de assalto a partir das seis da manhã por formigas de andar apressado na direção das plataformas. Graças à eficiência do transporte público, porém, o trânsito é bem mais calmo que o das nossas metrópoles.

Embora mais da metade das mulheres se dediquem exclusivamente ao trabalho doméstico — motivo de preocupação para os economistas —, a população trabalha muito. Às dez da noite, o metrô ainda está lotado de gente que sai dos escritórios, rotina mantida por muitos também aos sábados. Pressionados pela competição por salários melhores, os pais convivem pouco com os filhos. Estes, por sua vez, passam tantas horas envolvidos com as tarefas escolares, que não lhes sobra tempo para brincar.

A rede metroviária serve a cidade inteira. Nos horários concorridos a lotação é mais compacta que a das sardinhas em lata. Numa das manhãs, fui levado contra a parede oposta à porta de um vagão no qual a cada parada entravam novos passageiros. Quando já não cabia ninguém, subiram outros cinco. Mesmo não sendo claustrofóbico, experimentei uma sensação de mal-estar, espremido por pessoas encapotadas que não tinham onde se segurar, muito menos onde cair. À minha direita, também prensada contra a parede, uma mulher de estatura baixa ficou tão próxima do passageiro da frente que se viu obrigada a virar o rosto para o lado, até quase amassar o nariz no braço do meu casaco. Pequena como era, abafada entre dois homens mais altos sem enxergar um palmo adiante, não sei como conseguia respirar.

Trinta anos atrás, quando visitei o Japão para um estágio no Instituto Nacional do Câncer, o metrô já era assim, com a diferença de que hoje 100% das atenções estão focadas nos celulares, enquanto naquele tempo se concentravam nas páginas dos livros de bolso, as quais os passageiros tinham a habilidade de virar com uma só mão, já que levantar a outra para executar a tarefa exigiria contorcionismo circense. Antes, como agora, muitos passageiros viajavam com os olhos fechados como se dormissem em pé. Apesar do desconforto, em nenhum momento nos sentimos inseguros; a sensação é de que ninguém enfiará a mão em nosso bolso, nenhum homem abusará de uma mulher.

Todos os espaços públicos da cidade são rigorosamente limpos: o chão da Tokyo Station, por onde transitam centenas de milhares de pessoas por dia, parece encerado. Não se vê um papel no chão nem lixeira em lugar algum. Há que guardar no bolso o papel amassado, para jogar fora quando chegar em casa; cada qual é responsável pela quantidade de lixo que produz e paga por ela.

Como esperado, a de Tóquio é considerada a mais organizada das maratonas. Para as 36 mil vagas disponíveis por sorteio, inscreveram-se 320 mil candidatos, asiáticos na imensa maioria. Em 2015, a prova aconteceu no último domingo de fevereiro, um dia de inverno nublado, com previsão de chuva.

A largada se deu a poucos metros do Keio Plaza de Shinjuku, o hotel que hospedava diversos brasileiros. No meio da massa de corredores procurei o caminhão 81, indicado para a entrega do saco plástico numerado onde guardei um blusão mais quente para enfrentar o frio na chegada. Depois, andei até o setor E, designado para o meu grupo. A temperatura era de cinco graus, e garoava. Estava bem agasalhado, com uma calça colante por baixo, calção, duas camisetas, casaco de náilon, luvas térmicas e boné.

Diferentemente do que costuma ocorrer nesses momentos de espera, em que as pessoas falam alto e sem parar, o silêncio era quase completo. À minha esquerda, um rapaz com um plástico vermelho protegendo as costas mantinha os olhos fechados como se estivesse no metrô. À direita, um camicase de calção e regata tremia e batia os dentes.

Naquela garoa fina, tive a oportunidade de penetrar fundo o significado filosófico da frase "Todo homem é uma ilha": estava cercado de asiáticos, com a vantagem de, em virtude de minha altura, enxergar à frente um mar de cabeças cobertas com bonés de todas as cores.

Quando tocou o hino nacional, os acordes marciais me trouxeram as imagens dos batalhões do exército japonês da Segunda Guerra. Ninguém cantou. No fim, apenas o som das palmas abafado pelas luvas. O rapaz coberto com o plástico vermelho abriu os olhos, aplaudiu três vezes e retornou às trevas. Mesmo o tiro de papel picado que voou para marcar o início da maratona despertou reações contidas.

A prova é um passeio delicioso pelas ruas de Tóquio. O dia nublado, com ameaça de chuva, não impediu que as famílias saíssem de casa. A presença de um guarda a cada cem metros mantinha os espectadores rigorosamente alinhados nas calçadas, sem necessidade de admoestações. No caminho, a animação das bandas de instrumentos de sopro com músicos uniformizados, danças de meninas vestidas com quimonos, o ribombar dos tambores, um grupo com castanholas e passos de flamengo, e uma enorme marionete de dragão que serpenteava no ar.

A atração maior é a própria cidade. A Torre de Tóquio, mais alta do que a Eiffel, os prédios, os templos dos séculos passados, a fisionomia dos bairros: Shinjuku, Ginza, Roppongi, Asakusa, Hibiya e vários outros, cada qual com suas características, personalidade e as tragédias vividas nos tempos da guerra, quando Tóquio ardeu debaixo de bombas incendiárias que mataram 100 mil habitantes numa única noite.

No quilômetro 10, o trajeto segue em direção a Ginza, por um dos lados da avenida, e volta pelo outro lado, no sentido oposto. Essa alça de ida e volta tem cerca de onze quilômetros. Quando entrei no 10, tive pela primeira vez em mais de vinte anos o privilégio de cruzar com um grupo de negros de baixa estatura que disparava na pista contrária da avenida. Era o pelotão de elite que completava 21 quilômetros naquele instante. Bonito ver suas passadas longas e os pés que mal tocavam o chão, os corpos magros, bem delineados. Em uma hora e três minutos já tinham concluído metade da maratona.

Quando estava pelo quilômetro 18, senti uma cólica desagradável que durou poucos segundos. Quinhentos metros adiante, outra, um pouco mais forte. Entretido com a paisagem urbana, o público que distribuía doces, bananas e chocolates para os corredores, os tipos exóticos que passavam ou ficavam para trás, não levei a sério o que até ali parecia um contratempo passageiro. Comecei a me preocupar quando veio a terceira crise, mais intensa e demorada mas que desapareceu por completo.

Como as cólicas iam e vinham, ainda consegui percorrer vários quilômetros, porém amedrontado, sem saber se resistiria até o final. Rememorei o que havia comido na véspera: a pizza margherita do jantar não podia ser, talvez a minissalada deliciosa do almoço com Regina num restaurante de uma loja de departamentos, em Shinjuku, preparada com pedaços minúsculos de atum cru artisticamente arranjados num prato com bordas azuis e uma flor delicada no centro. A visão da salada fez correr um frio na espinha: minha mulher tinha se queixado de cólicas fortes na noite anterior. Pensei nos casos de corredores traídos pelos intestinos e da queixa de Adriana Silva, recordista brasileira: "Correr menstruada, com cólica, desconcentra, prejudica a performance e duplica o sofrimento".

Quando ultrapassei o quilômetro 25, as cólicas se repetiam, cada vez mais fortes, com intervalos de dois ou três minutos. Eu não pensava nem via mais nada, os cinco sentidos estavam concentrados no aparelho digestivo. Maldita salada. Amaldiçoado o cozinheiro que a preparou sem lavar as mãos.

Esperançoso de continuar na prova, titubeei diante dos sinais que indicavam a localização dos banheiros, até o quilômetro 26, altura em que pressenti o desastre que estava prestes a ocorrer e enveredei desesperado pelo corredor que levava a eles. Havia uma fila de onze pessoas. Parei com o corpo dobrado sobre o abdômen; não tinha a menor condição de esperar. Quando já me sentia sem forças para contrariar os desígnios da fisiologia, quase conformado com a tragédia inevitável, um dos banheiros vagou. Gritei: "*I'm sorry, I can't wait*",* furei a fila espantada com o berro e me tranquei num cubículo pouco maior que meu corpo.

Livrar-me daquela montanha de roupa em segundos e me agachar num vaso sanitário no chão, depois de correr 26 quilômetros, exigiu mais destreza e sacrifício do que concluir duas maratonas seguidas. Mal me recompus, destranquei a porta e disparei de cabeça baixa, humilhado e morto de vergonha.

As cólicas não passaram, apenas arrefeceram. Seria mais prudente desistir, mas senti que conseguiria ir em frente; minha mulher, Flávia e Mônica, amiga que correu com Zélia e comigo uma maratona em Chicago, estavam à espera, na altura do quilômetro 35. Passar pelas três foi um alento para mim e uma preocupação para elas, que mais tarde diriam que minha aparência era

* "Sinto muito, não posso esperar."

de quem sofria. O mesmo comentário feito depois da corrida por Zélia, que cruzou comigo no trajeto sem que eu a visse nem a ouvisse chamar meu nome.

A partir do quilômetro 40, acelerei o passo. Esse é um momento esquizofrênico da maratona: de um lado, não vejo a hora de acabar com aquele martírio; de outro, fico entristecido por chegar ao fim da festa para a qual me preparei durante meses. Apesar das cólicas, cansado, com dores nas pernas, nos pés e até na coluna lombar, tive consciência do prazer de estar do outro lado do mundo, com gente da Ásia inteira, empenhada em enfrentar o desafio que me proponho a vencer a cada prova.

Depois de cruzar a linha de chegada, a massa humana se dirigiu a um enorme pavilhão fechado. Na entrada, dispostos no chão em ordem numérica, todos os sacos com os agasalhos deixados nos caminhões antes da partida. Não precisei pedir meu pacote: mal me aproximei do local que indicava meu número de inscrição, uma mocinha sorridente já o tinha nas mãos.

Segui pelo pavilhão gigante na direção do ônibus que me levaria para o hotel, em Shinjuku. Os corredores se arrastavam trôpegos, mancando, calados; alguns se apoiavam nos companheiros, como os prisioneiros japoneses dos filmes de guerra.

INTERVALO 3

REPERCUSSÕES DIGESTIVAS

Maratonas são provas para pessoas disciplinadas capazes de percorrer distâncias longas com regularidade na fase de preparação. O estresse que os treinamentos e os 42 quilômetros da prova impõem provoca alterações metabólicas e modifica a fisiologia do organismo.

Não há sistema ou aparelho do corpo humano que não seja afetado — para o bem ou para o mal — pelo esforço de correr no limite das forças, por várias horas consecutivas. Anorexia temporária e náuseas ao terminar a prova são queixas comuns; em ocasiões mais raras, o corredor chega a vomitar. Podem ocorrer, ainda, cólicas abdominais, flatulência e alteração da consistência das fezes.

Para dar conta da exigência de oxigênio e nutrientes por parte das contrações musculares que se sucedem durante a corrida, uma parcela expressiva do fluxo sanguíneo é desviada para os músculos. Como consequência, outros tecidos ficarão menos irrigados.

No caso do aparelho digestivo, a diminuição do fluxo sanguíneo pode chegar a 80%. A falta de sangue eventualmente interfere na fisiologia gastrointestinal em graus que vão do aparecimento de sintomas passageiros a quadros mais graves, como a colite isquêmica, em que a hipóxia pode causar até necrose de alças intestinais. Há descrição de casos — felizmente muito raros — de corredores que necessitaram de intervenção cirúrgica de urgência.

Embora não haja evidência clara de que indivíduos mal preparados apresentem maior probabilidade de desenvolver esse tipo de isquemia, com o treinamento apropriado a redução do fluxo sanguíneo no estômago e nos intestinos se torna menos pronunciada. A desidratação causada pela sudorese excessiva e pelo aporte insuficiente de água é uma agravante do quadro isquêmico.

Estudos realizados nos anos 1980 revelaram a presença de sangue oculto nas fezes em 8% a 85% dos corredores. A disparidade é dessa ordem porque os participantes foram avaliados depois de correr distâncias variadas. Com o aumento do número de quilômetros percorridos, o risco de micro-hemorragias digestivas cresce.

Numa pesquisa efetuada entre corredores de distâncias mais longas, 16% se queixaram de pelo menos um episódio de diarreia com sangue visível depois de uma maratona ou de uma corrida disputada com grande esforço.

Diarreia com sangue vivo ou digerido (escuro) nessas eventualidades faz suspeitar de colite isquêmica ou sangramento gástrico, duas complicações que exigem atendimento médico emergencial. A explicação mais aceita para a presença de sangue visível ou oculto nas fezes é a de que os impactos sucessivos das passadas causariam microtraumas nos vasos sanguíneos mais delicados que irrigam as mucosas do estômago e das alças intestinais.

Endoscopias realizadas em dezesseis corredores que tinham terminado de completar a maratona mostraram que todos apresentavam certo grau de gastrite. Em quatro havia também sangue oculto nas fezes; em dois deles, a origem do sangramento era intestinal.

Apesar da inexistência de estudos bem controlados, o uso de medicamentos que contêm ácido acetilsalicílico (AAS, Aspirina, Doril, Engov e muitos outros produtos comerciais) e de anti-inflamatórios não hormonais (cetoprofeno, ibuprofeno, naproxeno, nimesulida etc.) pode fazer sangrar a mucosa do estômago e tornar mais permeável a mucosa intestinal, aumentando o risco de ruptura dos pequenos vasos que a irrigam. É contraindicado tomar ácido acetilsalicílico ou anti-inflamatórios pouco antes, durante ou pouco depois da maratona, prática infelizmente comum entre corredores.

A recomendação de não se alimentar logo antes da prova ou dos percursos mais longos faz sentido: com pouco sangue na região gastrointestinal, a digestão é problemática. Como as maratonas costumam ser matutinas, o ideal é tomar o desjejum pelo menos duas horas antes da prova, tempo médio necessário para ocorrer o esvaziamento gástrico. É preciso evitar a ingestão de quantidades maiores de alimentos gordurosos, porque a presença de gordura retarda o esvaziamento gástrico. O café da manhã deve ser rico em carboidratos, nutrientes essenciais para dar conta do trabalho muscular que virá.

REPERCUSSÕES CARDÍACAS

Participam das maratonas de Chicago, Londres, Tóquio, Nova York, Berlim e Boston, as mais concorridas do mundo, de 30 mil a 40 mil competidores.

Apesar da sensação de medo e da ansiedade presente nos instantes que precedem a partida, mortes por problemas cardíacos no decorrer dessas e de outras provas de longas distâncias são muito raras. Complicações cardiológicas em corredores geralmente revelam anomalias prévias, congênitas ou adquiridas, que não haviam sido diagnosticadas.

Um estudo prospectivo publicado no *Journal of the American College of Cardiology*, que acompanhou durante 21 anos atletas competitivos, na faixa etária dos doze aos 35 anos, mostrou que eles apresentavam risco de morte súbita cerca de duas vezes maior do que a população geral da mesma idade. Duplicar o risco pode parecer assustador, mas é preciso lembrar que na população estudada a probabilidade de morte súbita mesmo entre fumantes sedentários empedernidos é baixíssima. No estudo, o risco esteve diretamente relacionado à presença de patologias cardiológicas não identificadas previamente.

As mais perigosas foram as anomalias congênitas das artérias coronárias, alterações anatômicas capazes de interferir no fluxo de sangue que irriga as diversas áreas do coração. Mesmo quando não causam sintomas na vida diária, tais anormalidades podem provocar infartos, caso o coração seja submetido a esforços intensos. Portadores dessas malformações coronarianas apresentaram risco de morte súbita durante as maratonas 79 vezes maior que os corredores saudáveis.

Outro fator de risco encontrado foi a miocardiopatia causadora de arritmias do ventrículo direito. Trata-se de um defeito genético em que as proteínas encarregadas de manter unidas as células musculares do coração (miocárdio) não se desenvolvem de forma adequada, deixando as células do músculo cardíaco mais distantes umas das outras. É um tipo de miocardiopatia que envolve primariamente o ventrículo direito, alterando a condução da corrente elétrica que faz o coração pulsar compassadamente e dando origem a arritmias que podem provocar palpitações, tonturas, desmaios, falta de ar, inchaço nas pernas e até morte súbita durante exercícios mais vigorosos. Essa miocardiopatia hereditária é mais frequente nos homens. Em 30% a 50% das ocorrências existem outros casos na família. A presença do defeito em maratonistas aumentou 5,4 vezes o risco de morte durante a prova.

A terceira causa responsável pela morte dos jovens atletas foi a doença coronariana precoce, a qual evolui com a deposição de placas no interior das artérias, capazes de causar obstruções completas e ataques cardíacos. Por questões hereditárias, desde a juventude algumas pessoas já apresentam coronárias parcialmente obstruídas. Em geral, esses jovens se queixam de angina aos esforços (dor em pressão no peito e falta de ar ao fazer esforços), mas alguns são assintomáticos. Neles, a obstrução completa de um ou mais ramos das coronárias durante o exercício pode ser a primeira e fatal manifestação. No estudo, a presença de doença coronariana prematura aumentou 2,6 vezes o risco de morte súbita.

Outro levantamento prospectivo conduzido entre atletas competitivos com idade média de dezessete anos demonstrou que as principais causas de morte súbita foram miocardiopatia hipertrófica (36%) e as malformações das coronárias (21%). Uma avaliação de 36 casos de infarto do miocárdio com ou sem morte súbita em corredores de maratona mostrou que 75% ocorreram por doença coronariana. Entre eles, mais de dois terços sofriam de angina quando se exercitavam. O segundo diagnóstico mais comum foi o de miocardiopatia hipertrófica (9%), condição em que as paredes dos ventrículos cardíacos ficam hipertrofiadas, aumentando o risco de arritmias. Pode afetar pessoas de qualquer idade, que geralmente levavam vida normal, sem desconfiar da doença, até surgirem arritmias durante a prática de exercícios.

Os fatores de risco para doença coronariana nesse grupo foram: história familiar de doenças cardiovasculares (64%), fumo (9%), hipertensão arterial (32%) e colesterol elevado (77%). Das 26 mortes por obstrução coronariana, metade aconteceu durante a maratona ou nas 24 horas seguintes a ela, enquanto cerca de um terço se deu entre o segundo e o trigésimo dia depois da corrida. O risco de morte súbita para corredores eventuais é dez vezes maior do que para os habituais.

Um estudo publicado no *Journal of the American Medical Association* calculou o risco de morte súbita durante a prática de jogging como sendo de uma morte para cada 396 mil horas-homem de atividade. Divulgado na mesma revista, outro levantamento estimou que o risco nas maratonas é de uma morte para 215 mil horas-homem. Se consideramos que a média de tempo dos participantes das principais maratonas está ao redor de quatro horas, podemos concluir que a chance de morrer subitamente durante a prova é de cerca de 1 para 54 mil.

Tais estudos explicam por que óbitos em maratonas são eventos tão raros. Tornam evidente que por trás dessas mortes inesperadas sempre há uma cardiopatia preexistente, assintomática ou não, que deixou de ser diagnosticada. Se levarmos em conta, então, que parte expressiva das mulheres e homens que participam das provas tem mais de cinquenta anos, faixa etária em que o risco de ataques cardíacos é mais alto, podemos concluir que correr maratona é uma atividade esportiva bastante segura, desde que o corredor não sofra do coração.

Por outro lado, os benefícios cardiovasculares que a intensidade e a frequência dos treinos trazem, reduzem significativamente o risco de infarto, derrame cerebral, obstruções arteriais, diabetes, pressão alta e outras enfermidades que comprometem a qualidade e encurtam a duração da vida.

Apesar de raríssimas, as mortes descritas em maratonistas jovens justificam a necessidade de avaliações cardiológicas periódicas independentemente da idade do corredor.

REPERCUSSÕES RENAIS

A atividade física intensa submete a função renal a estresse. Durante o exercício prolongado, volumes maiores de sangue são desviados para trabalho muscular, diminuindo a quantidade que chega aos rins para ser filtrada.

A redução do aporte sanguíneo provoca pequenas alterações da função renal que costumam ser assintomáticas, porém nos casos em que a atividade é exaustiva, especialmente quando associada ao calor, à sudorese intensa e à desidratação, o mecanismo de filtragem pode ficar comprometido em diversos graus. Nas situações mais graves pode levar à insuficiência renal aguda.

Nos esforços em que a intensidade das contrações musculares consome mais de 50% da capacidade máxima que os pulmões têm de transportar o oxigênio para os tecidos, além de ocorrer falta de ar, a velocidade de filtração cai, e a eliminação de sódio e o fluxo urinário diminuem. Para compensar a retenção de sódio na corrente sanguínea, os rins absorvem parte da água que deveria ser excretada na urina. Em maior ou menor grau, esse desequilíbrio no balanço entre sódio e água na circulação eventualmente persiste por dois ou três dias depois da corrida. Insuficiência renal, entretanto, é ocorrência rara em maratonistas. Quando acontece, quase sempre está associada à rabdomiólise, destruição maciça das fibras musculares provocada pelas contrações excessivas. Hematúria — presença de glóbulos vermelhos na urina — é problema mais frequente. Pode ser causada por sangramentos microscópicos ou não, provenientes do próprio rim ou das vias urinárias mais baixas: ureteres, bexiga e uretra.

Kallmeyer e Miller avaliaram 45 atletas que completaram a Maratona de Comrades, prova de 89 quilômetros, e encontraram hemácias na urina de 24,4% deles. A análise da morfologia das hemácias revelou que a maioria vinha do trato urinário inferior.

O efeito dos anti-inflamatórios não esteroides (ibuprofeno, cetoprofeno, nimesulida etc.) na função renal de maratonistas não está bem definido. Essas drogas agem por mecanismos moleculares que acabam dilatando os vasos dos rins, diminuindo o fluxo sanguíneo e interferindo na filtração do sangue. Diversos estudos analisaram a influência dos anti-inflamatórios durante o exercício sem encontrar alterações importantes na função renal. Os casos avaliados, no entanto, não foram os de corredores submetidos aos níveis de estresse das maratonas.

Farquhar e colaboradores examinaram a capacidade do ibuprofeno de reduzir a filtração renal, sob a influência de fatores estressantes como restrição de sal, desidratação e temperatura externa elevada. A redução dos níveis de filtração foi pequena, mas o aumento da intensidade do esforço e a desidratação podem causar quedas mais pronunciadas.

Embora não haja demonstrações claras de que os anti-inflamatórios prejudiquem significativamente a função renal, a prudência recomenda evitar seu uso durante treinamentos e provas mais longas, até que sejam realizados estudos mais completos.

REPERCUSSÕES PULMONARES

A principal complicação pulmonar das maratonas é uma condição conhecida como broncoespasmo induzido pelo exercício, o qual resulta de contrações involuntárias dos pequenos músculos que controlam a abertura e o fechamento dos brônquios. A diminuição do calibre brônquico causa obstrução transitória do fluxo de ar para os pulmões, que em geral surge cinco a quinze minutos depois do começo do exercício e dura de trinta a sessenta minutos. Caracteristicamente, após um período de acalmia os sintomas podem retornar três a doze horas mais tarde.

Os espasmos brônquicos são disparados pelo resfriamento e ressecamento do ar que chega aos pulmões, durante a hiperventilação associada ao exercício. Podem acontecer em corredores saudáveis, sem história de asma ou quadros alérgicos. Na população geral, a prevalência é de 10% a 15%, números que podem variar de 10% a 50% nos atletas de elite. Estudos anteriores sugerem que depois de uma maratona a capacidade pulmonar diminui até 17%, provavelmente por causa da retenção de água (edema) nos pulmões.

Uma forma rara e mais grave desse tipo de broncoespasmo é a anafilaxia induzida pelo exercício. Os sintomas se instalam com fadiga, prurido pelo corpo, urticária, dor de cabeça e chiado no peito. O quadro pode progredir para rouquidão, falta de ar progressiva, edema de glote e choque anafilático nos casos mais extremos. Curiosamente, a complicação se dá com maior frequência em praticantes de jogging e no decorrer de caminhadas. Nozes, trigo, medicamentos (ácido acetilsalicílico, anti-inflamatórios) e temperaturas baixas são os gatilhos mais comuns das crises.

Outra causa de edema pulmonar induzido pelo exercício é a queda dos níveis de sódio na circulação (hiponatremia). A maioria dos casos de insuficiência respiratória provocada por edema pulmonar depois de maratonas ocorre em participantes com hiponatremia grave, concomitante. Nesses casos, a simples administração de sódio faz desaparecer o edema.

PARTE 4

CORRER, CORRER (*HERE, THERE AND EVERYWHERE*)

Perdido em Miami

Nem só das memórias de maratonas vivem os maratonistas. Há corridas que despertam emoções e deixam lembranças mais fortes que as das provas de 42 quilômetros.

Depois de um congresso em San Francisco, fui para Miami com o objetivo de encontrar minha mulher, que chegaria no dia seguinte, sem saber para que lugar viajaríamos. Ela ensaiava a peça *À margem da vida*, de Tennessee Williams, que estrearia em São Paulo. A surpresa que eu havia planejado seria pegá-la no aeroporto e dirigir para Key West, o ponto mais meridional dos Estados Unidos, situado a apenas noventa milhas de Cuba. O dramaturgo, assim como alguns escritores e poetas, entre eles Ernest Hemingway, Robert Frost, Elizabeth Bishop e Ralph Ellison, tinha uma casa na cidade.

Cheguei a Miami no fim da tarde, fui para o hotel, desfiz a mala e me vesti para correr. Na saída, perguntei ao porteiro em que direção devia ir; não conhecia a cidade. Corri por uma rua idílica. As casas eram ajardinadas, com muros brancos, fachadas de linhas retas e terraços amplos, envidraçados. Nas calçadas, as copas dos flamboyants se entrelaçavam numa festa de flores vermelhas e alaranjadas, que ocasionalmente despencavam girando no espaço como helicópteros de brinquedo. Um coral de milhares de cigarras a plenos pulmões fazia a trilha musical. Pediriam ajuda às formigas assim que chegasse o inverno?

Tenho dificuldade inata de orientação. Invejo as pessoas que sabem onde se encontram e que direção tomar, mesmo em paragens estranhas. Meu amigo Philippe Reichstul é uma delas. Quando viajamos juntos, nem presto atenção nos caminhos; deixo por sua conta a tarefa, ainda que eu conheça a cidade e ele não. Meu senso de desorientação é tão dominante que cometo erros de 180 graus. Se, ao sair de um quarto de hotel, acho que o elevador está à direita, não titubeio: vou para a esquerda; quase sempre dá certo.

Mas, quando corro em lugares desconhecidos, meu cérebro surpreendentemente se reorganiza; sei para que lado está cada ponto cardeal, decoro nome de ruas, gravo na memória as mudanças de trajeto e marco os pontos de referência em que ocorreram. Tomo, inclusive, o cuidado de olhar várias vezes para trás a fim de me familiarizar com as imagens do caminho de volta.

Devo ter corrido dois quilômetros até a rua terminar. Virei à direita, junto a uma casa de muro verde, com dois pinheiros no jardim que contrastavam com a paisagem tropical do trajeto até ali. A rua foi dar numa avenida movimentada. Para evitá-la, virei à esquerda, onde havia casas de madeira com jardins mais descuidados. Em comum com as ruas anteriores, apenas o trinado incessante das cigarras.

Com uma hora de corrida decidi voltar. A noite caiu. Como em obediência à batuta de um maestro invisível, as cigarras se calaram ao mesmo tempo. Alguns minutos mais tarde, percebi que não havia passado pela rua em que me encontrava. Retornei e dobrei à esquerda. Em pouco tempo estava perdido num bairro de casas com pintura descascada, varanda atravancada com cadeiras velhas, brinquedos e móveis empilhados. Nas calçadas mal iluminadas, sem nenhuma árvore, todos eram negros. Passei por um grupo de adolescentes que fumava maconha em volta de um poste. Um deles falou num tom intimidador alguma coisa que não entendi.

Ao longe, avistei uma avenida. Lá talvez achasse um táxi; começava a ficar cansado e inseguro. Passei por uma casa em que dois homens bebiam cerveja na penumbra da varanda. Numa voz de Louis Armstrong, o mais encorpado esbravejou: "*This neighborhood is not yours. Go home white man*".* Pela primeira vez, senti na carne o peso da agressão gratuita e preconceituosa que os negros aturam desde a infância.

Anos mais tarde, eu viveria uma segunda experiência.

Foi numa noite fria, em São Paulo, quando encontrei meu amigo Sombra para ouvirmos samba num bar que pertence ao compositor Eduardo Gudin, na avenida Antártica. Sombra é um técnico de som, entroncado, negro de cabeça raspada, espirituoso, que conheci durante a gravação de uma campanha educativa para o Ministério da Saúde, anos atrás.

Chegamos cedo, tomamos alguns chopes (ele mais do que eu), ouvimos músicas lindas e demos risada com as histórias de Sombra, contadas nos intervalos. À meia-noite levantei para ir embora. Ele me fez sentar e telefonou para o filho, Jacob, pedindo-lhe que viesse nos buscar. Não adiantou dizer que poderíamos pegar um táxi.

Em vinte minutos, o rapaz chegou num Fiat. Sentei no banco de trás. Duzentos metros à frente, o carro foi invadido por um facho de luz forte:

— Vamos ser abordados — disse Jacob.

* "Este bairro não é o seu. Vá pra casa, homem branco."

Olhei para trás sem enxergar, cego naquela luminosidade. Recomendei que encostássemos o carro e descêssemos imediatamente com as mãos para cima. A viatura estava parada a dez metros de nós. Protegidos pelas portas da frente abertas, dois policiais apontavam as armas para nós. Com as mãos para o alto, dei meu nome e perguntei se me conheciam. Um deles respondeu aos gritos:

— O senhor eu conheço. Esses dois, não.

Dito isso, ambos avançaram na direção de Sombra e do filho, com as armas apontadas para a cabeça deles. Provavelmente com base em experiências anteriores, o menino logo encostou o corpo contra o carro, com os braços estendidos sobre o teto, e permaneceu impassível enquanto era revistado por trás. O bom senso do filho faltou ao pai, que se indignou:

— Pra que tudo isso? Pra que apontar arma? Atira de uma vez.

O outro PM se precipitou como um raio. Com o revólver quase colado no rosto do meu amigo, ordenava que repetisse aquelas palavras. Achei que ia acontecer uma tragédia. Entrei no meio dos dois e consegui fazer Sombra voltar para o carro. Com o revólver empunhado, o policial encerrou a conversa:

— Teve sorte, negão. Se o doutor não estivesse aqui...

Perdido naquela vizinhança hostil, em Miami, a única alternativa seria encontrar alguém que pudesse me indicar o caminho de volta. Mas quem?

Meio quilômetro à frente, vi um senhor negro, alto e magro, de cabelos brancos, regando o canteiro de rosas de uma casa pintada de branco que contrastava com as vizinhas. Parei na cerca de madeira, pedi desculpas e contei que era brasileiro e estava perdido naquela cidade desconhecida. A menção à nacionalidade desanuviou-lhe a expressão inicial, pensei até que fosse sorrir.

Explicou que eu não devia continuar na direção da avenida, por lá não circulavam táxis; era melhor que voltasse pelo caminho de ida, embora ele não fizesse ideia da localização do hotel e das ruas que mencionei.

Aproveitei o momento e perguntei se poderia tomar um gole da água que jorrava da mangueira. Ele fechou a torneira e me pediu que esperasse. Voltou com uma jarra e um copo com gelo. No final, aconselhou que eu saísse depressa daquela área e advertiu: "*Those streets are dangerous for you*".*

Foi o que procurei fazer, mas, ao passar pelo poste com os adolescentes da maconha, um deles, gordinho, com o jeans caído bem para baixo da cintura, desceu da calçada com os braços abertos como se fosse obstruir a passagem para me pegar. Desviei pelo meio da rua e acelerei o passo o mais que pude, com o coração disparado. Já me vi espancado, talvez assassinado e enterrado como indigente. Medo infundado: era brincadeira, todos riram.

Já tinha corrido mais de três horas quando encontrei a casa com os dois pinheiros, na esquina da rua dos flamboyants. No quarto do hotel senti um frio que vinha dos ossos. Não adiantou desligar o ar-condicionado. Bebi um suco de laranja, deitei e comecei a tremer embaixo das cobertas. Não estava preparado para correr três horas e quarenta minutos. Se já não tivesse passado duas vezes por essa manifestação de cansaço extremo, teria ficado com medo, ali, sozinho.

Quando melhorei, tirei a roupa na velocidade das moças no striptease, caminhei em câmera lenta até o banheiro, tomei um banho quente e encomendei o jantar. A salada não deixou recordação, mas o cabelo de anjo ao sugo foi o melhor que já comi.

---

* "Estas ruas são perigosas para você."

Os pássaros

Fiz um curso no Roswell Park Cancer Institute, em Buffalo, cidade do estado de Nova York na margem do lago Erie, próximo à fronteira com o Canadá e às cataratas do rio Niágara.

Num sábado à tarde saí para correr à beira do lago. Paisagem de cartão-postal: iates e barcos a vela enfileirados no zigue-zague quadriculado do cais, céu sem uma nuvem, marcado ao longe pelo rastro branco da passagem de um jato. Somente algumas pessoas ao longe, o silêncio quebrado pelo vento, o ranger dos cabos que prendiam as embarcações e o piar estridente das gaivotas que planavam contra o azul, em seu voo minimalista, que não exige bater asas, apenas incliná-las com delicadeza nas correções de rota.

Segui pela beira até chegar a uma curva fechada junto ao pátio externo de dois armazéns grandes. Quando virei, o chão estava coberto de gaivotas brancas, encorujadas como se sentissem frio, impassíveis à minha aproximação. Parei para admirá-las. Eram centenas, nunca tinha visto tantas, de tão perto.

De repente, um estampido forte de metal contra metal assustou a mim e às aves, que se agitaram. Duas ou três levantaram voo, seguidas imediatamente por outras, e mais outras, e por todas, em revoada caótica. Parado entre elas e o lago, fiquei no epicentro da debandada. Os pios agudos e o rufar das asas em torno de mim criaram um clima de terror. Instintivamente, levantei os braços para proteger o rosto. Duas aves resvalaram neles, de passagem. Impossível não lembrar das imagens de *Os pássaros*, de Alfred Hitchcock, em que milhares de aves enfurecidas atacam seres humanos. Tentei me afastar e fechei os olhos com medo de que fossem feridos, como no filme. O movimento atabalhoado me fez perder o equilíbrio para trás. As gaivotas ganharam o céu. No chão, apenas eu, em posição ridícula, acocorado, com os braços dobrados em volta da cabeça.

Levantei meio sem jeito e olhei ao redor. Por sorte, não havia ninguém por perto.

Na Floresta da Tijuca

Num domingo, no Rio de Janeiro, minhas amigas Zélia Duncan e Michelle Negri e eu combinamos nos encontrar no Leblon, seguir pelo Jardim Botânico e subir pela Floresta da Tijuca até a Vista Chinesa e a Mesa do Imperador, no alto da montanha.

Nós três já participamos das maratonas de Chicago, Berlim e Rio de Janeiro, além de corridas de treinamento no Aterro do Flamengo, na lagoa Rodrigo de Freitas e no Centro de São Paulo. Michelle, mais leve e mais jovem, completa 42 quilômetros em menos de três horas e meia, tempo inacessível para Zélia e para mim.

Saímos do Leblon, pegamos a rua Pacheco Leão, que segue ao lado do Jardim Botânico, passamos pelo prédio da TV Globo em que gravo para o programa *Fantástico*, e entramos na ladeira asfaltada que conduz à Floresta da Tijuca. Dali até a Mesa do Imperador são cinco quilômetros, que sobem sem descanso nem comiseração. Nosso passo era lento para Michelle, que se distanciava, para depois voltar ao nosso encontro por alguns minutos e avançar outra vez.

A floresta que ladeia a estrada é formada por árvores centenárias, altas, com troncos grossos, em meio a outras mais esguias e de uma vegetação rasteira rala. É uma mata secundária plantada no século XIX, a mando de d. Pedro II, preocupado com a falta de água na cidade em consequência da destruição da floresta original pelos agricultores e comerciantes de madeira.

O prazer de correr no frescor da Mata Atlântica deve ter sido semelhante ao que Charles Darwin descreveu, em sua visita ao Brasil no ano de 1832, numa das escalas do *Beagle*:

> Deleite é uma palavra fraca para expressar os sentimentos de um naturalista que pela primeira vez perambulou sozinho por uma floresta brasileira. Em meio à profusão de coisas notáveis, a exuberância geral da vegetação ganha longe. A elegância das gramas, a novidade das plantas parasitas, a beleza das flores, o verde lustroso da folhagem, e acima de tudo a opulência incomum da vegetação me encheram de admiração.

O caminho estava impregnado do aroma de jaca, fruto improvável que brota diretamente no tronco da árvore e dele pende paquidérmico. Originárias da Índia, as jaqueiras levadas para a Floresta da Tijuca se multiplicaram feito praga, graças à facilidade com que as sementes germinam. Preocupações ecológicas à parte, essas jaqueiras davam um show de produtividade naquele início de dezembro. Frutos que deviam pesar cinco quilos ou mais apareciam maduros e ásperos numa delas; menores e esverdeados na vizinha.

Lado a lado, Zélia e eu em harmonia com o silêncio imposto pela mata. Nenhum corredor indo ou vindo, ninguém andando; apenas ciclistas de capacete e roupas agarradas pedalavam montanha acima, em pé, arqueados sobre as bicicletas. Gente treinada, principiantes não se arriscam num terreno íngreme daqueles. Na descida, voltavam outros, em disparada, sentados no selim, com a cabeça e o tronco inclinados sobre o guidão para diminuir a resistência do ar.

Eu não estava bem treinado para subir os cinco quilômetros até o ponto que pretendíamos atingir. Próximo à Vista Chinesa, já bem alto na montanha, tive a impressão de que estava no quilômetro 35 da maratona. Zélia também vinha cansada, mas decidida a ir até o fim, para apagar o trauma de anos antes, quando fora obrigada a desistir no caminho. Michelle ia e voltava como se estivesse no plano.

Avistar o pagode foi um alívio grande, mas não nos detivemos, entusiasmados por Michelle, que anunciou faltarem só trezentos metros para a Mesa do Imperador, o ponto mais alto. Não sei se mentiu ou calculou mal, mas tivemos que correr mais de um quilômetro, que àquela altura pareceram dez. Quando alcançamos a Mesa do Imperador, um grupo de ciclistas descansava diante da vista: o Pão de Açúcar com a enseada de Botafogo e os barcos, a lagoa Rodrigo de Freitas, as praias e, à esquerda, a imponência do Cristo e do Corcovado, que me emociona cada vez que chego de avião ao Rio.

Duzentos anos atrás, quando não existiam aviões nem o Redentor estava de "braços abertos sobre a Guanabara", o naturalista alemão Karl Philipp von Martius assim descreveu esse capricho geológico carioca:

A parte superior do Corcovado voltada para o mar é precípite e de tal forma declive, que se mostra como um fragmento de enorme ruína proveniente do oceano próximo; uma força demoníaca, que um dia imprimiu a presente forma à terra, parece tê-lo cortado em dois, em linha reta, com o propósito de mergulhar a outra parte no mar profundo. Nenhuma planta pode ter lugar nestas duas paredes íngremes, que nada oferecem senão rochas de cor branco-violeta, granito e gnaisse, que brilham em cores variadas, por causa da mudança de luz, ou são escondidas por nuvens que passam por ali.

Da Mesa do Imperador, cansados da subida, vimos o Cristo pairar acima das nuvens que encobriam as partes mais baixas do Corcovado.

Haga Park

Passei dois meses no Radiumhemmet, o centro de oncologia do Instituto Karolinska, em Estocolmo, um dos mais importantes da Europa. Fiquei alojado com minha mulher num pequeno apartamento para hóspedes, no primeiro andar do Serviço de Radioterapia. Ela fazia uma visita ao Dramaten, o teatro oficial onde Ingmar Bergman e outros diretores renomados montavam suas peças.

No hospital, o expediente começava às oito e terminava impreterivelmente às quatro da tarde. Na Suécia, nem os médicos escapam da rigidez das leis que proíbem o trabalho depois do horário estabelecido em negociações com os sindicatos. Acostumado com o sistema brasileiro, em que somos obrigados a emendar plantões noturnos com a rotina do dia seguinte, 36 horas sem dormir, eu estranhava a vida calma e organizada dos meus colegas, que chegavam em casa antes das cinco.

Perto dali há um parque grande, um dos maiores da cidade. Na parte central de Estocolmo não existe lugar feio, sujo ou malconservado. O parque não fica atrás. No primeiro fim de tarde livre corri até lá. O caminho de entrada desembocava numa área

140

gramada do tamanho de três ou quatro campos de futebol, onde o terreno apresentava um declive acentuado, seguido por um aclive que ao longe terminava num bosque.

A grama estava entremeada com uma plantinha rasteira que espalhava uma infinidade de flores amarelas e azuis, brotadas a cinco centímetros do solo. A luz da tarde e as ondulações do terreno criavam mosaicos em que predominavam verdes, amarelos ou azuis, dependendo do ângulo de visão do observador, efeitos que me lembraram os quadros de Monet e uma paisagem japonesa do filme *Sonhos*, de Akira Kurosawa.

Segui pela estradinha asfaltada que tangenciava essa área central, devagar, quase andando, extasiado com a vista e com o privilégio de correr naquele lugar, naquela cidade, iluminado pelos últimos raios de sol de uma tarde de outono.

Devo ter corrido uma hora ou mais pelo interior do parque. Quando voltei para a entrada, a luz tinha caído. No meio do gramado havia três lebres, na parte alta um vulto de mulher brincava com uma criança de passos trôpegos. Aquele campo enorme, decorado com flores miúdas, era meu, da mãe com o filho, das lebres e de mais ninguém.

Lagoa Rodrigo de Freitas

A volta da lagoa Rodrigo de Freitas tem sete quilômetros e meio de beleza. Envolvidos com o cotidiano, os cariocas que circulam nos carros e ônibus pelas avenidas que a rodeiam não parecem admirá-la, mal-acostumados que estão com o virtuosismo das paisagens da cidade.

Não foi o caso de Von Martius, o naturalista alemão, que fez uma descrição emocionada desse

> lago mediterrâneo, de quase légua de diâmetro, cercado e coberto, a norte e a sul, por promontórios do Corcovado. Com os olhos de quem vê de cima, é observado como que de água tranquila, fusca, muito azul, isolado e com aquele aspecto severo, com que aparece na Alemanha algum dos menores lagos dos Alpes. Mas o ar transparente do céu espalhado sobre ele, a vegetação fertilíssima dos trópicos, que, em forma de círculo, o abraça através de rochas gotejantes, campos férteis, largos bosques circundantes, acrescentam [...] um ornamento que procurarás em vão em nossas plagas, formadas com menores dons da natureza.

Perdi a conta de quantas vezes desfrutei do privilégio de correr na Lagoa, mas a cada volta descubro um novo detalhe, nas árvores que florescem, no cantar dos pássaros, nos biguás de pescoço esticado que alçam voo em bandos, na garça que espreita os peixes da beirada, na visão do morro Dois Irmãos com a Pedra da Gávea por detrás, nos barcos com remadores em movimentos sincronizados, no Cristo Redentor visto de lado, nas montanhas vulcânicas que se erguem gigantescas, com bromélias agarradas à pedra.

A pista é compartilhada por pedestres, corredores e ciclistas em convivência civilizada. Moças de corpo bem cuidado dividem o espaço com senhoras de linhas arredondadas, rapazes fortes, corredores esguios, homens de abdômen proeminente, ciclistas, e uma infinidade de pais e filhos concentrados nas áreas próximas às barracas de coco verde e aos pedalinhos em forma de cisne. Há que chegar cedo para correr nos fins de semana, sob pena de quase parar a todo momento, em respeito ao tráfego de pessoas, carrinhos de bebê, velocípedes e bicicletas.

Num daqueles domingos em que os cariocas praguejam contra os céus que ousam negar-lhes o sol e a praia, levantei decidido a dar três voltas na Lagoa. No caminho começou a garoar; não me detive. Quando alcancei a pista junto ao campo do Flamengo, não havia alma viva. A ventania que inclinava a garoa na direção dos meus olhos me obrigou a inverter o sentido do percurso. Impulsionado pelo vento a favor, ganhei velocidade e determinação.

De repente, em obediência a ordens superiores, o vento estancou e a chuvinha arrefeceu. Em poucos minutos, ficou escuro como noite, relampejou duas vezes, trovejou, e despencou uma tempestade tropical. Segui correndo, não havia para onde fugir. A chuva estava tão forte, que era impossível olhar para cima sem que a visão embaçasse. Os pingos grossos ecoavam em minha cabeça sem cabelo, o calção e a camiseta encharcados e colados no corpo não detinham a água, que escorria entre as nádegas e pelo meu sexo. Um spray de água subia toda vez que o tênis batia no chão.

Tomei uma chuva dessas quando era moleque. Devia ter menos de sete anos, nem estava na escola. Também caiu de repente, só que me escondi no armazém do seu Mário, que saiu do balcão apressado em baixar o toldo para proteger a sacaria perto da porta e as freguesas surpreendidas pelo temporal. Embalado pelo som dos pingos no toldo, fiquei encantado com a força da correnteza que, junto ao meio-fio, arrastava pedaços de jornal e tocos de madeira na direção do bueiro da esquina.

Tentação em demasia. Surdo à advertência das mulheres, corri para aquele rio. Andei descalço contra a corrente pela rua inteira, com a água à altura dos joelhos. Quando saí da enxurrada, feliz da vida, com a cabeça para o alto e os olhos fechados para sentir a chuva no rosto, notei que deixava um rastro vermelho na calçada. Tinha cortado o pé.

Na tempestade da Lagoa, os Dois Irmãos, a Pedra da Gávea, as rochas descomunais e o Redentor desapareciam, encobertos pelas nuvens, e seus contornos esmaecidos ressurgiam atrás da cortina de água que caiu impiedosa até o fim da terceira volta.

Quando cheguei em casa, minha mulher me advertiu: "Molhado desse jeito, vai ficar doente", e esquentou água para fazer chá. Igualzinho minha avó espanhola naquela chuva de mais de sessenta anos atrás.

Rio Negro

Se, antes de morrer, me fosse concedido o privilégio da derradeira viagem, voltaria ao rio Negro mais uma vez. Viajaria de Manaus, rio acima, até São Gabriel da Cachoeira e, se possível, mais longe, na direção da Colômbia. Quinze dias, vendo o mundo refletir-se no espelho das águas escuras do rio, o recorte das margens verdes no horizonte, os papagaios no alvorecer e as circunvoluções arrojadas das andorinhas todo final de tarde.

Comecei com esse parágrafo o primeiro capítulo do livro *Florestas do rio Negro*, publicado pela Companhia das Letras.

A paixão pelo rio Negro surgiu em 1993, por ocasião de uma viagem com um grupo de cientistas americanos e europeus, no final de um curso sobre biotecnologia, que José Augusto Nasr e eu organizamos na Universidade Paulista (Unip), transmitido para vinte cidades brasileiras pela Embratel, naqueles tempos sem internet. O roteiro não foi escolhido por acaso: a Unip mantinha um barco-escola em Manaus e a visita à Floresta Amazônica fez parte de uma estratégia para atrair ao Brasil cientistas de destaque, entre os quais o dr. Robert Gallo, um dos descobridores do vírus da aids.

Numa conversa de fim de tarde, no barco, o dr. Gallo fez uma indagação que ficou sem resposta: "A biodiversidade aqui não é teórica, é visível. Nessas margens, não é fácil ver duas árvores da mesma espécie. Vocês fazem pesquisas sistemáticas da atividade farmacológica dessas plantas?". A pergunta deu origem ao Projeto de Bioprospecção de Plantas da Bacia do Rio Negro, que desde então tenho coordenado. Através dele coletamos espécies distintas, preparamos extratos, e testamos a atividade contra células tumorais malignas e bactérias resistentes a antibióticos, nos laboratórios da Unip, em São Paulo.

Nesse período, o Laboratório de Extração preparou cerca de 2500 extratos, metade dos quais já foi testada. Estamos agora concentrados nos estudos de uma dúzia de extratos que demonstraram atividade intensa contra células malignas e bactérias resistentes.

Por conta do Projeto, nos últimos 22 anos fiz mais de cem viagens no barco-escola, uma gaiola típica dos rios amazônicos, na companhia de um grupo de jovens pesquisadores, entre eles botânicos, farmacêuticos, mateiros, e do professor Wilson Malavazi, organizador da infraestrutura. Ali, passo os dias mais tranquilos da agitação em que vivo, escrevendo, ouvindo os botânicos falar de plantas, as histórias dos mateiros, dos tripulantes e dos ribeirinhos. E, felicidade suprema, sem celular.

O Negro não é um rio que corre em sua calha, é uma região inundada. O volume das águas é o segundo do mundo; perde apenas para o do Amazonas, formado pelo próprio Negro e pelo Solimões, que conflui com ele abaixo de Manaus, no célebre Encontro das Águas. A diferença dos níveis do rio entre as temporadas mais secas de outubro/novembro e o pico da cheia, em junho/julho, é de dez metros, em média, mas pode chegar a doze ou quinze.

Em diversas alturas do curso, mal se enxerga a margem oposta. Muitas vezes, o que parece margem distante é uma ilha. No trajeto brasileiro estão os dois maiores arquipélagos fluviais da Terra: Mariuá, na região de Barcelos, antiga capital do estado do Amazonas, com mais de setecentas ilhas, e Anavilhanas, com pelo menos quatrocentas, na região de Novo Airão, a primeira cidade para quem parte de Manaus, rio acima.

Um riozinho de águas escuras como o âmbar, plácidas, a refletir a silhueta das árvores, o caminhar das nuvens, o dourado do sol, o firmamento, a lua e as estrelas, visto de uma ponte estreita de madeira, como nas gravuras japonesas de Hiroshige, do século passado, é fácil imaginar. Um rio da largura do Negro, no entanto, que nos dias sem vento é capaz de refletir o mundo ao redor como um espelho monumental, é inimaginável. As águas quietas criam imagens virtuais tão nítidas, que o fotógrafo tem dificuldade para distingui-las das reais.

Anos atrás fizemos uma viagem no barco *Escola da Natureza*, para gravar uma série de entrevistas com Orlando Villas-Bôas, que seriam exibidas no Canal Universitário. Subimos de Manaus até o rio Jaú, afluente da margem direita, que hoje faz parte do Parque Nacional do Jaú, o terceiro do mundo em extensão de floresta tropical intata. Foram dois dias de gravação e de prazer ouvindo as histórias vividas pelo velho sertanista, que viajou acompanhado da esposa e do filho.

Na volta, quando nos aproximamos da foz do Jaú, avistamos um banco de areia enorme no meio do Negro, que não havíamos notado na noite da chegada. Bancos de areia no meio dos rios da Bacia do Negro são frequentes durante a seca. Formados num ponto qualquer pelo acúmulo de sedimentos que as águas deixam ao baixar, desaparecem na cheia, para surgir a quilômetros de distância rio abaixo na seca do ano seguinte. É preciso contar com navegadores experientes para fugir deles, nessa época do ano.

Embora familiarizados com tal capricho amazônico, nenhum

de nós, nem mesmo a tripulação, tinha visto um banco de areia daquelas dimensões: devia ter pelo menos quinhentos metros de diâmetro. Era uma ilha de areia branca, sem um fiapo de grama, rodeada de água escura. Paramos o barco, colocamos duas cadeiras pretas no meio da ilha, montamos as câmeras e gravamos uma entrevista maravilhosa com seu Orlando, em que fiz apenas a pergunta inicial. Os trinta minutos seguintes ficaram por conta das aventuras inacreditáveis de um personagem que ele conheceu no Xingu: Boca Rica, espécie de bandoleiro que viveu nos sertões do Brasil.

Encerrada a gravação, ajudei a recolher o equipamento e subimos no barco. Assim que o pessoal saiu para coletar as plantas, calcei os tênis, pedi que uma voadeira me deixasse na ilha e fosse me buscar só quando terminasse a coleta. Corri a volta toda mais de vinte vezes. A areia era tão fina que parecia peneirada, cantava sob os pés. O sol batia forte, mas havia uma brisa que dava alento. Se o calor apertava, eu tirava o calção, o tênis e entrava na água; depois, voltava a correr, até mergulhar outra vez.

Cercado pelo rio e pelas margens da mata intocada, paisagem idêntica à que os primeiros navegadores indígenas enxergaram muitos anos antes da chegada dos portugueses: ali, eu não era ninguém, não tinha família, amigos ou referências pessoais; estava integrado àquela exuberância tropical na solidão mais completa que vivi. Passei duas horas na ilha, correndo sob o sol do equador e tomando banho nu nas águas negras do rio.

Parque Ibirapuera

O quarto centenário de São Paulo foi comemorado em grande estilo, em 1954. Não guardo lembrança das cerimônias oficiais, nem tínhamos televisão em casa naquela época, mas nunca mais esqueci da chuva de papel prateado que os aviõezinhos jogaram sobre a cidade e dos fogos de artifício na inauguração do Parque Ibirapuera.

O Ibirapuera é um dos maiores parques da cidade, ocupa uma área de mais de 1,5 km^2, alagadiça desde o tempo dos indígenas, até que o funcionário da prefeitura Manequinho Lopes ali plantou eucaliptos australianos para drenar o solo, em 1927. Passados quase cem anos, esses eucaliptos de casca grossa, marrom-escura, continuam espalhados pelo parque, altos, com troncos que um homem sozinho não abraça.

Corredores, andarilhos e ciclistas costumam completar o circuito no asfalto em volta dos lagos, o que eu também fazia até me afeiçoar à pista de pedregulhos que serpenteia num pequeno bosque. Já percorri tantas vezes aquele quilômetro e meio, que conheço cada árvore. Há tipuanas majestosas que atapetam o chão de flores amarelas, miúdas; ipês; jacarandás-mimosos que dão flores roxas; palmeiras; uma pitangueira que na florada se veste de branco; espatódeas com flores alaranjadas em formato de taça, além dos eucaliptos quase centenários do sr. Manoel Lopes de Oliveira Filho.

Espetáculo à parte é o dos sabiás-laranjeiras, o pássaro-símbolo da cidade. De junho a novembro, nem o mais madrugador dos frequentadores consegue antecipar-se a eles. Começam a cantar às três da manhã e não param mais; um daqui, outro dali, alternam as vozes com breves hiatos para ganhar fôlego. Não o fazem por diletantismo, mas para impressionar as fêmeas — é época de acasalamento.

Antes que o dia clareie, já é possível vê-los no chão à caça de insetos: saltitantes, atentos à aproximação dos gatos vadios que perambulam pelas cercanias. Sem o inimigo por perto, não os perturba a proximidade dos corredores. Mais confiados do que eles, só o joão-de-barro, pássaro da cor da terra dos ninhos que constrói com a habilidade dos engenheiros. Não parecem temer o homem, só se dão o trabalho de sair da frente quando estamos a dois passos deles.

Pouco mais tarde, lá pelas sete, as maritacas se reúnem na copa das árvores mais altas, numa gritaria infernal. Depois de um tempo, levantam voo para berrar em outra freguesia; os gritos se afastam, mas não silenciam: apenas ficam mais distantes, até que voltem para mais perto de novo.

Bem-te-vis de peito amarelo, rolinhas de andar chapliniano, sanhaços de asas azuis, coleirinhas, pombas do mato, andorinhas e suas circunvoluções, tico-ticos, beija-flores paralisados no ar e até canários-da-terra amarelos com asas cinzentas, ariscos, dão o ar da graça ao redor da pista. Apaixonado que sou por passarinhos desde pequeno, o raiar do dia no meio deles me traz uma felicidade infantil que ajuda a suportar o esforço das corridas mais longas.

Como a trilha é cheia de curvas, muitos a evitam com medo de sobrecarregar os joelhos, temor que talvez explique por que é menos concorrida. Duas ou três semanas antes das maratonas, procuro fazer treinos que chegam a 36 quilômetros, correspondentes a 24 voltas completas, sem nunca ter sentido dor nos joelhos ou nas articulações coxofemorais.

Corro sozinho. Uma vez, no inverno, comecei a correr com as luzes da pista ainda acesas. De repente, vi um vulto rápido no meio do bosque escuro, que veio em minha direção. Era um rapaz miúdo, de cabelo curto e corpo de atleta profissional:

— Posso correr do seu lado, doutor?

— Se você não se importar com a velocidade, fique à vontade.

— É que eu estava observando seus defeitos. Por exemplo, relaxe esses ombros de cabide, abaixe os braços, que você não é boxeador, abra e solte os dedos das mãos.

Dava ordens com tal autoridade, que não ousei desobedecer. Contou que havia perdido a mãe aos doze anos. Foi morar com uma prima dela, casada com um brutamontes com quem tinha três filhos. Os dois cachorros da casa ocupavam posição mais elevada na hierarquia familiar: "Tinha que acordar às cinco da manhã para começar o trabalho doméstico. Só parava às seis da tarde, para dar banho e levar os cachorros passear, só podia comer depois de dar comida para eles. Peguei bronca de cachorro até hoje, bicho safado, puxa-saco de homem".

Depois de um tapa na cara que levou do brutamontes, saiu com os cachorros para passear, soltou-os na rua e pegou o trem para a Estação da Luz, lugar para onde sabia que tinha fugido um garoto da vizinhança, maltratado como ele. Perambulou pelas imediações da estação até encontrar um grupo de meninos de rua, aglomerados junto ao prédio do Poupatempo da avenida Ipiranga.

No dia em que completou dezesseis anos, foi parar na antiga Febem pela terceira vez. Por azar: num arrastão, roubaram as bolsas das senhoras que desciam de um ônibus de turismo no largo Santa Ifigênia, no exato momento em que passava uma viatura da PM. O rapaz e os quatro amigos saíram correndo. Todos foram alcançados e presos, menos ele, que disparou na frente e só foi pego dois dias mais tarde porque um dos policiais que participaram da perseguição o reconheceu na rua. "No caminho, o PM me perguntou onde eu tinha aprendido a correr daquele jeito. Respondi que tinha sido na vida. Ele me disse que, em vez de ficar roubando, eu devia virar corredor. Aquilo ficou na minha mente."

Com a ajuda de um funcionário da antiga Febem, foi apresentado a um treinador da prefeitura no Ginásio do Ibirapuera. "Hoje sou profissional. Correr, para mim, foi questão de vida ou morte."

Guardadas as devidas proporções, acho que para mim também.

INTERVALO 4

HIPONATREMIA

Os sintomas da hiponatremia podem ser imperceptíveis, discretos ou muito graves: cólicas abdominais, tontura, fraqueza, vômito, alteração do estado mental, agitação. Sem tratamento, pode causar edema pulmonar e cerebral, coma e morte, nas situações extremas.

Depois da linha de chegada das primeiras maratonas que corri, era relativamente comum ver corredores que se desorientavam, caminhando trôpegos, com o olhar vidrado, na direção contrária à da massa que acabava de completar a prova, como se estivessem alcoolizados. É provável que esse quadro fosse provocado pela hiponatremia, desequilíbrio hidroeletrolítico caracterizado pela diminuição da concentração de sódio na corrente sanguínea.

A hiponatremia é diagnosticada quando os níveis de sódio caem abaixo de 135 nmol/L (valores entre 135 e 145 são considerados normais). A sintomatologia se instala no decorrer da maratona ou algumas horas depois. Enquanto dura a corrida, cerca de 75% da energia gerada pelo metabolismo é dissipada do corpo sob a forma de calor. A evaporação do suor na pele é parte importante do sistema de refrigeração.

O líquido que escorre no suor não é água pura; nela vêm dissolvidos vários íons: sódio, potássio, ferro, cálcio e outros. O volume de água perdido através da sudorese varia com o tamanho do corpo, a temperatura externa, a intensidade do exercício, a umidade do ar, a aclimatação e as características individuais. Dependendo das condições climáticas e do esforço despendido, a perda de água pode ultrapassar 1800 mL/hora. Para compensá-la, as maratonas oferecem água e diversas soluções hidratantes disponíveis no mercado.

Há três mecanismos principais para explicar a hiponatremia induzida pelo exercício:

1. Os atletas perdem água e eletrólitos enquanto correm. Ao beber água, repõem o líquido perdido, mas não corrigem as perdas de sódio e de outros íons.

2. Os corredores ingerem volumes maiores de líquido do que aquele perdido. No percurso da maratona, o corredor costuma emagrecer um a dois quilos apenas em perdas metabólicas, sem contar a água evaporada no suor. Por essa razão, se, ao terminar a prova, o atleta estiver com o mesmo peso ou mais pesado do que antes dela, é porque está hiper-hidratado. O aumento da quantidade de água na circulação dilui e faz cair a concentração de sódio (hiponatremia).

3. Existe retenção de líquido, como consequência da produção inadequada dos mediadores que controlam o equilíbrio hidroeletrolítico.

O risco de desenvolver hiponatremia é maior para aqueles que correm em dias mais quentes, consomem mais de três litros de líquido durante a prova, ganham peso no decorrer dela, têm índice de massa corpórea abaixo de 20, pertencem ao sexo feminino, param para urinar mais vezes e demoram mais de quatro horas para completar os 42 quilômetros.

Um estudo prospectivo mostrou que, entre 488 maratonistas, 13% apresentaram hiponatremia leve e 0,6% (três casos) hiponatremia grave. Atletas que, durante a prova, usam suplementos de sal ou bebidas contendo sódio correm menos risco, mas ingerir volumes grandes dessas soluções pode agravar o quadro, porque a quantidade de água ingerida dilui o sódio, reduz sua concentração no sangue e sobrecarrega os rins, que não conseguem eliminá-la, fenômeno que pode causar edema cerebral e até morte.

Em 2005, foi publicada a "Primeira Conferência Internacional de Consenso sobre Hiponatremia Associada ao Exercício", da Conferência de Cape Town, na África do Sul. O consenso recomenda que atletas participantes de eventos de *ultra-endurance* (corridas de mais de cinquenta quilômetros, triátlon etc.) tenham acesso a exames para determinação dos níveis sanguíneos de sódio no próprio local da prova. A reposição de sódio pode ser feita por boca ou por via intravenosa, conforme a necessidade.

Os médicos que prestam atendimento nesses locais devem estar preparados para fazer o diagnóstico diferencial entre hiponatremia, desidratação e insolação, porque os tratamentos são distintos.

O corredor precisa estar atento à quantidade de líquido ingerida. Evitar grandes volumes em dias que não estão quentes, em que a sudorese não é intensa, ou quando perceber algum inchaço (o relógio marca o pulso, o anel não sai do dedo).

DESIDRATAÇÃO

Hidratação adequada é fundamental para a segurança e a performance do atleta. Estabelecer o equilíbrio entre a quantidade de água perdida através do suor e aquela ingerida durante a prova não é tarefa simples, especialmente para corredores com pouca experiência.

A quantidade de suor produzida varia de uma pessoa para outra e com os seguintes fatores: 1) sexo: homens transpiram em média 30% a mais do que mulheres com o mesmo peso corpóreo; 2) nível de treinamento: corredores mais treinados suam mais; 3) aclimatação: maior número de treinos no calor aumenta a sudorese; 4) velocidade: os mais rápidos transpiram mais; e 5) clima: em dias quentes e úmidos a sudorese é mais intensa.

Os principais sintomas da desidratação até certo ponto se assemelham aos da hiponatremia: sede, dor de cabeça, náuseas, câimbras musculares, fraqueza, saliva espessa, dificuldade para cuspir, irritabilidade, tontura, fadiga e calafrios.

Para evitar desidratação e hiponatremia, a American Medical

Athletic Association recomenda calcular a necessidade de líquido individual antes da prova. Sugere que o corredor suba sem roupas na balança, antes de correr uma hora, nas condições de temperatura e no passo que desenvolverá na prova, sem beber nenhum líquido, e, em seguida, volte a se pesar sem roupas. Assim, saberá quanto perdeu de água em uma hora de corrida. A quantidade de líquido ingerido em cada hora de prova não deve ultrapassar esse volume. Por exemplo, se, depois de correr uma hora, você emagreceu trezentos gramas, não deve beber mais do que 300 mL de água por hora. É importante, ainda, tomar líquido antes da prova, para iniciá-la com o corpo hidratado.

Em corredores rápidos a sede é um mau indicador da hora de beber, porque neles ela surge quando a hidratação já está instalada. Eles precisam saber previamente o volume que deverão ingerir no decorrer da competição. Nos mais lentos, ao contrário, a sede é bom indicador da necessidade de reposição.

A equipe médica responsável pela Maratona de Boston publicou as seguintes medidas preventivas para evitar desidratação/hiponatremia:

1. Você é um corredor único, não imite os outros, as necessidades deles são diferentes das suas.

2. Tente manter a ingestão de líquido um pouco abaixo de sua perda de peso. Se você perdeu um quilo e meio durante a prova, não deve ultrapassar um litro e meio.

3. Não beba demais. Ganhar peso durante a prova não é sinal de boa hidratação, mas de hiper-hidratação.

4. Corredores lentos só devem beber quando sentem sede.

5. Em caso de calor intenso, beber muito líquido não vai resfriar o corpo, reduza a velocidade.

6. Reconheça os sinais de desidratação: tontura ou sensação de cabeça oca ao ficar em pé, dor de cabeça, boca seca, coração acelerado etc. Na presença desses sintomas, beba água para ver se melhora.

7. Reconheça os primeiros sinais de hiponatremia: água chacoalhando no estômago, dor forte de cabeça, inchaço nas mãos e nos pés, náuseas, chiado no peito. Pare de tomar líquido até conseguir urinar.

8. A urina deve ter cor amarelo-clara, como a da limonada. Não pode ter cor de suco de maçã (desidratação) nem ser cristalina como a água (hiponatremia).

9. Se depois da prova você sentir um mal-estar que não responde às medidas de rotina, como beber líquido e descansar, procure atendimento médico de emergência.

PARTE 5

SÃO PAULO

O Minhocão

Aos domingos costumo correr no Minhocão, o elevado que faz a ligação leste-oeste de São Paulo. Todos se referem a ele como uma excrescência arquitetônica, um monstro do urbanismo que desvalorizou os imóveis vizinhos e fez desaparecer em suas entranhas a avenida São João, uma das mais tradicionais da cidade. Não lhes tiro a razão, mas nos últimos vinte anos já percorri tantas vezes seus três quilômetros de extensão, que me afeiçoei ao elevado.

De seu início junto à praça Roosevelt, no Centro, até o final no largo Padre Péricles, em Perdizes, a pista segue na altura do segundo andar dos prédios da São João, altura privilegiada que oferece ao transeunte a possibilidade de bisbilhotar o interior dos apartamentos.

Fechado para o tráfego aos domingos, o Minhocão se transforma na praia dos paulistanos que moram na região central, como disse uma amiga carioca, debochando de meu afeto por ele. De fato, depois das nove da manhã, suas pistas são invadidas por crianças de bicicleta, casais que caminham, gente de idade em cadeira de rodas, pais que chutam bola com os filhos pequenos, cachorros de estimação com donos sedentários que atiram objetos para fazê-los correr atrás, vendedores de coco, água, refrigerante, algodão-doce, milho verde e até de peças de bicicleta.

Como tenho por hábito correr bem cedo, chego antes do tumulto. Às seis da manhã, quando a cidade silenciosa se recupera das extravagâncias do sábado à noite, o ambiente é outro. Grupos de adolescentes vestidos de preto, com latas de cerveja nas mãos, conversam em voz alta e riem na mureta que separa as duas pistas; craqueiros com o cobertor ordinário nas costas, aglomerados na rampa que dá acesso à rua das Palmeiras, fumam cachimbos metálicos; ciclistas paramentados ultrapassam em velocidade os poucos corredores que madrugam como eu, enquanto as primeiras janelas se abrem.

Em contraste com os sobreviventes da noite anterior que compõem a paisagem humana no asfalto, um homem de pijama e barba branca pendura a gaiola do canário na varanda; uma mulher de camisola florida e bobe na cabeça rega o vaso de samambaia; um senhor de camiseta regata e barriga avantajada fuma o primeiro cigarro do dia no peitoril da janela, ao lado da mulher com o olhar perdido; um vulto debruçado no fogão faz café no apartamento mantido na penumbra por um cobertor improvisado em cortina; feirantes armam as barracas na rua das Palmeiras, nas imediações do largo Santa Cecília; um gato se equilibra altaneiro no parapeito de um terraço, ao lado do cartaz que anuncia: "Vidente do amor. Pagamento depois da graça obtida". Mais à frente, uma sibipiruna plantada na avenida São João expõe com generosidade a copa florida aos frequentadores do elevado. São centenas de flores amarelas que pousam delicadas como passarinhos na folhagem do topo.

Às nove, na calçada do largo Padre Péricles, local em que faço o retorno para correr no sentido da praça Roosevelt, senhoras de andar lento e homens de cabeça branca caminham em direção à igreja para assistir à missa. Não há um jovem entre eles. Que diferença das missas dominicais de quando eu era criança: começavam às sete da manhã, com reprises de hora em hora, diante de plateias lotadas de fiéis de todas as idades. A última, a mais concorrida, acontecia às onze, frequentada pelas meninas mais bonitas do bairro e pelos rapazes mais velhos, que tentavam flertar com elas na saída. O catolicismo era onipresente, a repressão sexual mais ainda.

Na volta para o Centro, a pista fica de frente para o prédio do antigo Banco do Estado de São Paulo, o Banespa, levantado no estilo do Empire State, para ser o mais alto da cidade, posição que ocupou até ser desbancado pelas linhas curvas do Edifício Itália, em 1965. Durante o longo percurso diante do prédio, lembro com carinho do querido tio Odilo, irmão mais velho de meu pai, personagem muito presente em minha infância. Não que a lembrança de sua figura acolhedora deixe de me visitar em outros momentos, mas ela o faz ocasionalmente, enquanto em frente ao Banespa surge todas as vezes, nítida e cheia de vitalidade.

Nos dias que sucederam a morte de minha mãe, tio Odilo me levou para acompanhá-lo no trabalho diário que fazia no ramo de representações e vendas. Íamos de carro de um ponto a outro, visitávamos os clientes, almoçávamos na casa dele e voltávamos para a cidade. Uma das visitas foi justo a um funcionário que trabalhava num dos últimos andares do Banespa, previamente anunciada pelo tio como a oportunidade jamais oferecida a um menino de quatro anos como eu.

Lá do alto, um mar de telhados e a serra da Cantareira. Os automóveis eram carrinhos de brinquedo; os transeuntes, formigas quase invisíveis; os postes de iluminação, do tamanho de um palito. Fiquei até confuso com a percepção das dimensões insignificantes do mundo que me parecia tão grande visto de baixo; por outro lado, senti orgulho de viver uma experiência inacessível à molecada da rua, que não acreditaria quando eu contasse a que altura havia subido.

Depois da via crucis na Maratona de Blumenau, jurei que jamais correria outra sem estar preparado.

Em 2000, voltei a me inscrever em Nova York, prova que havia corrido anualmente, desde 1993, em tempos que ficavam entre os 3h38 de 1994 e os 3h50 de 1995, em Blumenau. Em 1999, porém, vivi uma situação inusitada: a publicação de *Estação Carandiru*, meu primeiro livro, baseado na experiência de uma década como médico voluntário na Casa de Detenção de São Paulo, na época o maior presídio da América Latina.

A noite de autógrafos foi numa quarta-feira. Acordei cedo no sábado seguinte, abri a porta do apartamento e apanhei os jornais que assino: *Folha de S.Paulo*, *O Estado de S. Paulo* e *O Globo*. *Estação Carandiru* estava na primeira página dos três, com chamadas em destaque para os cadernos de cultura. Tomei um susto: jamais pensei que o tema fosse despertar tamanho interesse. Fiquei inseguro e amedrontado com a repercussão, arrependido de ter escrito o livro.

Estação Carandiru ganhou três dos troféus do prêmio Jabuti, o mais importante do mundo literário brasileiro: categoria não ficção, júri popular e melhor livro do ano em 2000. Experimentei a sensação do principiante que acerta em cheio na roleta logo no primeiro número em que aposta. O interesse veio acompanhado de convites para escrever em jornais e revistas do Brasil e do exterior, fazer palestras, dar entrevistas, participar de debates, conferências, e da sugestão feita por minha editora, Maria Emília

Bender, de escrever um livro infantil; compromissos alheios à medicina, que alteraram a rotina e me afastaram das pistas, de tal forma que eu chegava a passar quinze dias sem treinar. Um mês e meio antes da maratona, eu mal conseguia correr uma ou duas vezes por semana.

É abissal o contraste entre o esforço para manter a regularidade dos treinamentos e a facilidade para quebrá-la. Duas semanas de vida sedentária são suficientes para desorganizar a programação seguida com disciplina rigorosa durante meses ou anos. A proximidade da prova me encheu de brios, no entanto. É atestado de incompetência desistir depois de inscrito e com os detalhes da viagem já acertados. Aguentar a gozação dos amigos sedentários sempre à espreita da menor hesitação para nos acusar de pusilânimes e decadentes, pior ainda. Por outro lado, em meio a tantos compromissos, como treinar com a frequência e a intensidade necessárias?

Pressionado pelo prazo que restava, tomei uma decisão temerária: dar um jeito de me preparar correndo apenas duas vezes por semana. Às quartas-feiras no Ibirapuera, correria uma hora, o máximo de tempo disponível antes do trabalho; aos domingos, no Minhocão, percorreria distâncias crescentes. Embora sábado fosse um dia mais folgado, ficava reservado ao descanso para o esforço do dia seguinte.

No primeiro domingo, corri dez quilômetros, percurso que aumentei para quinze, vinte, 25, trinta e 35 quilômetros nos cinco domingos seguintes. Pode existir programação mais estapafúrdia? Que treinador com um mínimo de bom senso aconselharia alguém a se preparar de forma tão precária?

Apesar de ter sofrido para completar os 35 quilômetros do sexto domingo, achei que no dia da prova seria capaz de chegar aos 42, afinal conhecia bem o trajeto — seria minha oitava vez em Nova York. De fato, fui relativamente bem até entrarmos no Central Park. Quando faltavam duas milhas, senti um incômodo do lado esquerdo do peito. Era uma dorzinha conhecida, muscular, dessas que surgem por mantermos os braços na mesma posição por muito tempo e que vão embora ao levantá-los e abaixá-los duas ou três vezes, providência que tomei em seguida.

A dor passou, todavia retornou pouco à frente. Ainda fraca, mas dessa vez acompanhada de uma certa ardência que me fez pensar em angina, quadro álgico provocado pela escassez de oxigênio no miocárdio. Parei imediatamente. A dor sumiu, como por encanto. Tive certeza de que o diagnóstico estava correto. Andei uns dez metros e voltei a correr bem mais devagar. Não senti mais nada até o fim da prova, mas cheguei exausto quando o relógio marcava 4h08, tempo pior que o da primeira maratona, corrida sete anos antes.

Enrolado num plástico metálico, andei com dificuldade até a saída do parque. Minha mulher me esperava com os olhos azuis que perderam subitamente o brilho ao ver o estado do marido — do pobre marido, deve ter pensado. Sem dizer nada, passou um braço por minha cintura e puxou o meu por sobre o ombro dela. Aceitei a ajuda sem esboçar reação, e saímos atrás de um táxi, ave mais rara do que o uirapuru nas cercanias das linhas de chegada das maratonas de qualquer cidade do mundo. Vergonhosamente amparado por Regina, fui obrigado a andar mais de cinco intermináveis quilômetros até alcançarmos o hotel do East Side, junto à Park Avenue.

Assim que entramos no quarto, ouvi a descompostura que ela se abstivera de passar no trajeto, por consideração à precariedade de minha condição, conforme explicou no preâmbulo. Fui chamado de irresponsável e de maluco para cima. Escutei em silêncio, deitado na cama de roupa e tudo.

O Centro

De uns anos para cá, além de correr no Minhocão, peguei o gosto de correr pelo Centro aos domingos.

Saio de casa pela rua Maria Antônia, em 1968 palco da guerra entre os alunos do Mackenzie, simpatizantes do regime militar, e os da Faculdade de Filosofia da USP, no prédio em frente. Desço a Consolação, na calçada oposta à da igreja de Nossa Senhora da Consolação, projetada em estilo neorromânico pelo mesmo arquiteto da catedral da Sé, em 1909, para substituir a antiga igrejinha do local. Viro à esquerda na avenida Ipiranga, do lado oposto ao do Copan, gigante de linhas curvas projetado por Oscar Niemeyer, onde vive uma quantidade de pessoas maior que a população de muitas cidades. Em frente ao edifício, a aglomeração na porta da boate Love Story, que ostenta na fachada ser "A Casa de Todas as Casas", lotada até fechar, às dez da manhã. Na praça da República, viro à direita para entrar no calçadão da Barão de Itapetininga, e já estou no meio dos prédios mais encantadores de São Paulo.

Com as lojas fechadas, o Centro está deserto e silencioso. Os moradores de rua que se aconchegam às portas e marquises dos prédios dormem o sono dos justos, cabeça apoiada na sacola com os pertences. São centenas de mulheres e homens deitados em cima de folhas de papelão, jornais velhos, trapos e tudo que lhes possa amenizar a dureza do solo. Embaixo de cobertores cinzentos, alguns descansam ao lado do vira-lata preso à carrocinha em que recolhem material para reciclagem; outros se protegem sob tendas improvisadas com pedaços de plástico e de madeira; outros, ainda, jazem junto à garrafa de cachaça que lhes alegra e arruína a existência. Na maioria são homens solitários, mas há mulheres de todas as idades e casais abraçados sob as cobertas.

A disposição pelas ruas, a porta do prédio escolhido, a presença ou não de marquises protetoras, a qualidade dos trastes que carrega e o conforto do leito em que repousa denunciam a classe a que pertence o cidadão. Os mais privilegiados vivem no conforto das barracas-iglu que uma ONG distribuiu tempos atrás; os catadores de materiais recicláveis dormem sob suas carroças; os remediados se defendem com caixas de papelão, cabanas de plástico e cobertores quadriculados; enquanto a ralé, formada por alcoólatras de rosto inchado e craqueiros em pele e osso, fica jogada em qualquer canto, sem nenhum bem que possa servir de travesseiro, protegida apenas pelo cobertorzinho ordinário, até a cabeça para afugentar a claridade.

No largo São Francisco, há os que transformam em dormitório coletivo a área sob as arcadas da Faculdade de Direito e os que se deitam junto à parede da calçada entre elas e a igreja de São Francisco, ao relento. Um domingo, ao passar por lá, ouvi uma altercação entre uma negra corpulenta sentada num colchãozinho de espuma de borracha, na parte central das arcadas, e uma branca franzina que passara a noite a céu aberto, mais para o lado da igreja. A julgar pela resposta da negra, a vizinha deve tê-la ofendido: "Morta de fome é você, sua invejosa, que dorme no papelão, no meio da rua. Eu me deito em colchão macio, debaixo de um teto".

Nem bem havia clareado, num outro domingo, eu vinha pela rua Boa Vista, que liga a praça da Sé ao largo São Bento, quando um homem parou em meu caminho. Era um senhorzinho mirrado, sem dentes, de barba e cabelos brancos revoltos, que tinha um olho azul e o outro vazado, vestido com uma calça tão larga quanto encardida e um blusão da New York University confeccionado para alguém com o dobro da estatura dele.

Do jeito que me olhava, supus que tivesse me reconhecido por causa das aparições na TV, como eventualmente acontece quando corro na rua. À medida que me aproximei, ele se deslocou para o lado como se fosse obstruir a passagem. Quando sorri, prestes a desejar-lhe bom dia, ele me encarou com o único olho e vociferou: "Vá pra puta que o pariu".

Sob a marquise do antigo Mappin, onde hoje estão instaladas as Casas Bahia da praça Ramos de Azevedo, em frente ao Theatro Municipal, obra do arquiteto que deu o nome à praça, existe um dormitório que alberga mais de vinte inquilinos. Como a loja abre aos domingos, nem todos os desabrigados se interessam em passar a noite ali, apesar da generosidade do espaço: "Tenho um primo que dorme lá. É muito bom, não chove nem pega sereno, tem posto de polícia na frente, mas que adianta, acordam a gente às nove da manhã, no melhor do sono".

Cruzo a rua, contorno o Municipal e atravesso o viaduto do Chá, erigido sobre o vale do rio Anhangabaú, que hoje corre por um canal soterrado. É muito agradável sentir no corpo suado a brisa que circula pelo vale nas primeiras horas da manhã.

Quem vem do viaduto na direção da praça da Sé atravessa a do Patriarca. Toda vez que passo por lá, fico com raiva do pórtico metálico gigantesco projetado sobre a entrada da estação do metrô, que seria muito bonito se não escondesse a fachada dos prédios antigos e a igrejinha de Santo Antônio, cujas primeiras referências datam de 1592, do lado direito. Não consigo entender também por qual razão a estátua do Patriarca José Bonifácio, em tamanho real, foi disposta com a frente para quem vem da rua Direita e com as costas para a praça. Terá sido para que não veja o pórtico?

Em contraste com as demais ruas do Centro, a praça da Sé fervilha naquele horário. Moradores de rua fazem fila para receber o café da manhã distribuído por voluntários e formam rodinhas para conversar, tomar o café ou o primeiro gole do dia, com a garrafa de mão em mão. Acocorados no chão, os solitários observam o movimento, apanham sol sem camisa na escadaria da catedral ou dobram os panos que lhes serviram de cama. De Bíblia em punho, um pregador enfurecido descreve as artimanhas de Satanás, para meia dúzia de gatos-pingados.

Nos meus tempos de menino, a praça da Sé era um largo asfaltado no qual se concentravam os pontos iniciais dos ônibus que partiam para a Zona Sul. Um conjunto de prédios de escritório construídos no começo do século XX, em que funcionavam dois cinemas, fazia a separação entre ela e a praça Clóvis Beviláqua, com o quartel do Corpo de Bombeiros, onde meu avô português ganhou a vida como telegrafista, a igreja do Carmo, o colégio e o convento dos carmelitas e os pontos dos ônibus que serviam a Zona Leste e inspiraram o samba de Paulo Vanzolini, que me vem à cabeça toda vez que corro por lá: "Na praça Clóvis minha carteira foi batida. Tinha vinte e cinco cruzeiros e o teu retrato…".

Com a derrubada dos edifícios que delimitavam as praças, a retirada dos ônibus, a construção da estação do metrô e o plantio de árvores e de palmeiras-imperiais, as duas se fundiram num grande largo, que durante a semana mistura desocupados, maltrapilhos, bêbados, mulheres de salto e homens de gravata a caminho do Fórum da praça João Mendes.

Na Sé, junto ao prédio da Caixa Econômica, desço a ruazinha do sobrado imponente em que morou dona Domitila de Castro Canto e Melo, a marquesa de Santos, namorada do imperador d. Pedro I, casa hoje transformada em museu, e passo pela igrejinha azul e branca do Pátio do Colégio, em torno do qual os jesuítas José de Anchieta e Manuel da Nóbrega fundaram em 1554 a cidade batizada com o nome de São Paulo de Piratininga.

Do lado oposto, no início da rua Boa Vista, vejo o prédio da Associação Comercial, que exibe um impostômetro com números vermelhos rodando em velocidade vertiginosa para contabilizar cada real arrecadado pelo governo, e vou na direção do largo São Bento. Uma esquina antes de alcançar o largo, jamais deixo de entrar à esquerda na rua João Brícola e de diminuir a velocidade diante de um "predinho" de quatro andares com uma porta metálica verde de cinco metros de altura, circundada por cópias de moedas antigas de meio metro de diâmetro, algumas das quais conheci quando criança.

Mantenho o passo mais lento para admirar a fachada de meu prédio preferido, construído no período de 1939 a 1947, no estilo art déco, pelo arquiteto Álvaro de Arruda Botelho: o prédio do Banespa, cujas linhas delicadas me foram apresentadas num passeio pelo Centro em companhia do arquiteto Isay Weinfeld. Do outro lado da rua, a cinquenta metros dele, o Edifício Martinelli, inaugurado em 1929, marco da arquitetura da cidade que se industrializava e crescia, projetado pelo arquiteto húngaro William Fillinger e modificado pelo empreendedor Giuseppe Martinelli com o objetivo de torná-lo o arranha-céu mais alto fora dos Estados Unidos. Para chegar aos trinta andares necessários para tanto, Martinelli construiu a própria casa nos últimos andares, estratégia que lhe permitiu atingir seu objetivo e transmitir aos demais moradores a segurança de que o edifício não desmoronaria. Mais tarde, o prédio do Banespa desbancaria o Martinelli.

Entre os dois, uma pracinha com um coreto de madeira e um relógio redondo com ponteiros metálicos que apontam para algarismos romanos. Aí nasce a avenida São João.

Quando tenho a sorte de os sinos da igreja de São Bento começarem a badalar, corro em círculos até desaparecer dos ouvidos a reverberação do último toque. Ao atravessar o viaduto Santa Ifigênia, sou invariavelmente perseguido por outra memória musical. Por mais que queira espantá-los, não consigo impedir que me venham à cabeça os versos mal acomodados do samba de Adoniran Barbosa: "Venha ver, venha ver, Eugênia. Como ficou bonito o viaduto Santa Ifigênia...".

O batedor de carteira da praça Clóvis, a Eugênia do viaduto e o prédio do Banespa que me traz a imagem do tio Odilo, no Minhocão, fazem parte desses mantras que se intrometem em nossos pensamentos enquanto corremos. Difícil encontrar um corredor que não seja tomado por um deles em determinado momento. Como os portadores de TOC, não somos capazes de evitá-los. Podem vir sob a forma de música ou imagem que se condensa e evapora, como nos casos citados, de frases de exortação do tipo: "Vamos lá, um passo a mais" ou: "Coragem, tá chegando... tá chegando...", repetidas dezenas de vezes, de conversas trocadas com pessoas imaginárias ou com nós mesmos, ou ainda de palavras alinhadas sem coerência, que emergem de centros cerebrais ativados pelo esforço despendido e pela perspectiva do que ainda falta realizar.

Sigo pela rua Santa Ifigênia, paraíso dos amantes da eletrônica, até desembocar na avenida Duque de Caxias, junto à antiga Estrada de Ferro Sorocabana, inteiramente reformada para a construção da Sala São Paulo, uma das salas de concerto mais modernas do mundo.

Atravesso a avenida e entro na alameda Dino Bueno, obstruída ao longe por uma mancha escura de vultos trágicos que se acotovelam na sarjeta, em meio a quentinhas com restos de comida, garrafas de plástico e papéis atirados para todos os lados. Cheguei à Cracolândia. Vou na direção deles.

Cracolândia

Usuários de crack são antes de tudo gregários. O grupo lhes traz proteção, recursos financeiros, relacionamentos sociais, acesso ao sexo e à droga da qual dependem para suportar a escravidão causada por ela.

No Centro de São Paulo, eles se reúnem nas imediações das estações ferroviárias da Luz e Sorocabana, região reconhecida como a primeira Cracolândia do Brasil. São homens e mulheres de idade indefinida que atravessam as noites agitados feito zumbis, não trocam de roupa, não se lavam, não fazem a barba nem penteiam o cabelo. Sedentários, passam os dias jogados nas calçadas, no meio da sujeira que não se dão o trabalho de recolher, com o inseparável cachimbo metálico de cabo comprido nas mãos, o bem mais precioso.

No primeiro domingo que corri para aqueles lados, ao avistá--los agrupados na esquina da Helvétia com a Dino Bueno, senti o coração bater forte, a garganta apertada e uma tentação irracional de passar correndo entre eles.

* * *

Essa mistura de medo, curiosidade e atração pelo perigo que ronda os ambientes marginais vem de longe. Eu nem tinha sete anos quando um cortiço abandonado na rua de trás de nossa casa foi invadido por bêbados e mendigos. A vizinhança comentava horrorizada os hábitos daquela gente desregrada, queixava-se da imundície que atraía ratos, das brigas, discussões em voz alta e da algazarra toda noite. Dona Aurora, uma espanhola que morava ao lado, cochichou para minha avó que ouvia gemidos de mulher vindos da escuridão do cortiço, no meio da madrugada.

A sabedoria dos sete anos havia me ensinado que os adultos só cochichavam na presença de crianças para falar mal de alguém que conhecíamos ou para comentar coisas que mulheres e homens adultos não deviam fazer mas faziam.

A casa dos bêbados — como era conhecida — povoou minha imaginação durante vários dias. Comprar pão na padaria, visitar minha outra avó, que morava a três quadras, ir à venda, à sorveteria, tudo era pretexto para passar em frente ao portão do cortiço e olhar demoradamente para dentro, incursões visuais que poucas novidades traziam.

Um fim de tarde, ouvi uma balbúrdia vinda de lá. Parecia haver uma festa animada por um sanfoneiro que tocava sucessos de Luiz Gonzaga, o Rei do Baião, um dos cantores mais populares daquele tempo. Em meio às risadas e ao falatório, escutei vozes femininas. Dona Aurora não tinha mentido.

Fiquei tão excitado para me aproximar daquelas pessoas malfaladas, que em segundos inventei uma estratégia. Saí sem minha avó ver, dei a volta no quarteirão, parei na porta do cortiço e apertei o botão da campainha, que eu sabia inútil naquela casa sem luz. Abri o portão de ferro e entrei pelo corredor com o coração saindo pela boca.

No primeiro quarto havia um colchão de palha rasgado, roupas amontoadas num canto, uma panela cheia de arroz, uma espiriteira, um maço de velas, bitucas de cigarro espalhadas e uma pilha de pratos de alumínio. O segundo quarto estava fechado; a festa acontecia no terceiro, nos fundos. Hesitei, com as mãos geladas, mas criei coragem e fui até a porta.

O sanfoneiro tocava uma sanfona prateada que animava o baile para cinco homens, três mulheres e duas garrafas de pinga. As mulheres dançavam agarradas aos homens, que se revezavam em seus braços aos empurrões, caíam e riam de perder o fôlego. Sentado num banquinho, o sanfoneiro balançava para a frente e para os lados, sem derrubar o chapeuzinho de couro desequilibrado na cabeça nem parar com a música.

Quem me viu primeiro foi uma mulher de vestido rodado e cabelo solto:

— Está olhando o quê, menino?

— Vim ver se a minha bola caiu no quintal.

— Procura aí e não enche o saco — respondeu um grandalhão com a camisa aberta no peito, que volta e meia eu via caído na calçada do armazém do seu Mário.

Fingi que dei uma olhada ao redor e saí depressa, cheio de mim, louco para que chegasse o dia seguinte. A molecada que jogava bola comigo na porta da fábrica ia saber o que acontecia na casa dos bêbados.

Naquele domingo na Cracolândia, a mistura de taquicardia, medo e o desejo de passar no meio daquele bando gerou uma hesitação semelhante à que senti no corredor da casa mal-afamada, no Brás da minha infância.

Quando cheguei mais perto, percebi que seria impossível correr em linha reta: a rua estava tomada por homens e mulheres sentados ou deitados no chão. No espaço entre eles, esgueiravam-se os que se acocoravam à cata de migalhas das pedras que ocasionalmente estalam para fora dos cachimbos alheios. Alguns andavam a esmo. Uma mulher descabelada falava sozinha e erguia os braços para se defender de um agressor imaginário.

Através de um buraco aberto na parede de concreto construída para vedar a porta de entrada de um sobrado, havia um entra e sai frenético. Parecia formigueiro. Os que vinham de dentro sentavam no primeiro lugar disponível no meio-fio e acendiam os cachimbos. Só não recuei porque seria pior, estava perto demais.

Com a rua obstruída, a solução foi correr pela calçada do lado esquerdo, onde havia um pouco de espaço, junto a um botequim com um toldinho azul que contrastava com a pobreza das instalações. Não fosse o volume da música sertaneja do bar, seria possível escutar o galope do meu coração. Com cuidado para não atropelar ninguém, diminuí a velocidade e passei incólume.

A indiferença dos usuários de crack à minha pessoa de calção e camiseta foi semelhante à dos personagens do baile no cortiço. Se em meu lugar tivesse passado um cachorro, chamaria mais atenção.

O único a me estranhar foi um negro grisalho e encorpado, que certamente não passara a noite na sarjeta. Calçava sapatos engraxados e vestia calça com vinco bem-feito e camisa de mangas compridas entreaberta no peito para expor um cordão grosso, reluzente, com vários penduricalhos de ouro. Olhou para mim com ar enigmático e sorriu. É possível que tenha me reconhecido, porque eu me lembrei dele, preso, cumprindo pena no Pavilhão 2 do Carandiru.

Uma quadra mais, cheguei ao largo onde estão a igreja e o Liceu Coração de Jesus, dos padres salesianos, que ocupa um quarteirão inteiro. Meu pai, meus tios e primos estudaram lá, na época uma das melhores escolas de São Paulo, cujo internato atraía alunos de todo o país. Sitiado pela Cracolândia, o Liceu ainda sobrevive.

Dei a volta no colégio e, ao passar pela calçada do largo, em frente à igreja, vi um casal que dormia profundamente sobre uma folha de papelão. Deitado de costas, ele tinha o braço esquerdo em torno do pescoço dela, que repousava a cabeça no peito do companheiro. Ela, de lado, descansava a perna esquerda dobrada sobre as dele. O braço direito do homem abraçava o corpo da mulher com a delicadeza de um apaixonado. Retornei pela Dino Bueno, outra vez no meio da turba, pela mesma calçada, mas agora com menos medo e mais tranquilidade para olhar ao redor.

Desde esse domingo, o circuito que percorro pelo Centro inclui obrigatoriamente a travessia da Cracolândia. Nem sempre passo tão incógnito quanto um vira-lata — às vezes alguém me reconhece. São ex-presidiários que tratei no antigo Carandiru ou na Penitenciária do Estado ou mulheres que me conhecem da Penitenciária Feminina da Capital, onde atendo as presas uma vez por semana, há nove anos.

Uma vez, quando corria pelo Centro com meu colega de consultório Carlos Jardim, propus que seguíssemos para lá. Na Dino Bueno, uma mulata magrinha, de calça agarrada e top, me reconheceu e gritou para o grupo reunido mais à frente: "Ó o doutor Drauzo Valero. Quem falou que não tem médico na Cracolândia?".

Love Story

Na outra encarnação, devo ter rolado montanha abaixo. É a única explicação para me dar mal com as descidas, ao contrário da maioria dos corredores, que nelas encontra alívio e prazer. Quanto mais inclinada pior, porque me obriga a jogar o corpo para trás — posição que sobrecarrega a coluna lombar — e a neutralizar a força da gravidade freando o impulso às custas do quadríceps e dos calcanhares.

Machuquei o tendão de aquiles dois meses antes da Maratona de Buenos Aires de 2013. Aconteceu num sítio, na descida íngreme de uma trilha esburacada. Na hora senti uma pontada fraca, mas à noite tive dor. Daí em diante, toda vez que eu pisava em falso com o calcanhar num desnível do terreno, a dor retornava. No plano, não havia problema.

Num domingo, três semanas antes da maratona, depois de correr duas horas e meia pelo Centro, pisei torto numa irregularidade da calçada na avenida Ipiranga e a dor voltou forte. Parei imediatamente e fui andando para casa. Estava perto. Quando cheguei ao cruzamento da pracinha em frente da boate Love

Story, o semáforo fechou para os pedestres. Como sempre, àquela hora da manhã, a porta estava apinhada: garotas com saia agarrada e curta, seios saltando por cima dos decotes, equilibradas precariamente em cima do salto-plataforma; rapazes com camisetas apertadas a exibir a musculatura anabolizada, e seguranças de terno cinza, grandes como guarda-roupa de casal.

Para não ficar parado, andei pela calçada. Um rapaz magro e alto, com aparência doentia, que se achava sob a cobertura de um ponto de táxi, me reconheceu:

— Mancando, doutor. Que aconteceu?

Falei do estiramento. Ele prescreveu compressas de arnica gelada, tratamento infalível em sua opinião de corredor bissexto, que anos antes chegara a completar a São Silvestre, a glória de sua carreira. Por educação, perguntei o que ele fazia naquele lugar.

— Eu sofro — respondeu com um sorriso amarelo.

— Sofre de quê?

— De paixão.

Fazia seis meses que conhecera uma menina do Love Story, diferente das outras, segundo ele, habitué dos inferninhos do Centro e das imediações da rua Augusta: "Na primeira noite ela disse que se chamava Pâmela, mas avisou que era pseudônimo. Foi carinhosa na cama, sem os gemidos falsos dessas que fazem de tudo para você acabar depressa e sair de cima". A despeito da experiência adquirida com mais de cem garotas de programa, conforme contabilizava, a noite com Pâmela deixou saudades: "Passei dias com o sorriso dela na mente".

Na sexta-feira seguinte voltou à boate. Ela não apareceu. No sábado, chegou à meia-noite, com a casa ainda vazia, e só foi embora às nove da manhã. Nada. O sorriso inesquecível começou a atormentá-lo: "A imagem dela foi tomando corpo nas minhas ideias, do jeito daquelas gordas que pedem licença para sentar do seu lado num cantinho do banco do metrô e, quando a gente vê, estão refesteladas e você espremido feito uva-passa".

Sua vida de divorciado, sem filhos, com bom emprego, livre para sair com quem quisesse, se tornou monástica. Na única tentativa de esquecer Pâmela, com uma das frequentadoras da boate, achou por bem pagar pelo programa antes de tirarem a roupa, e foi para casa. A moça, que o conhecia de outros carnavais, quis fazer um desconto de 30%, mas ele recusou: "Trabalho é trabalho, não exploro mulher".

Encontrar a garota virou obsessão. Contrariamente aos hábitos, começou a ir à boate durante a semana. Às vezes, punha o despertador para as quatro da manhã, tomava banho, fazia a barba e pegava o caminho do Love Story. Ficava lá até a hora de ir para o escritório. Foram dois meses nessa angústia, até encontrá-la numa noite de sábado. Ele vinha pela calçada em que estávamos, ela pelo lado oposto. Correu para abordá-la antes que entrasse na boate. Devia parecer tão ansioso, que ela perguntou se estava com algum problema.

Quando lhe disse que haviam estado juntos fazia dois meses, ela respondeu que mal se lembrava. Em lugar de sentir-se rejeitado, ele admirou-lhe a sinceridade: "Outra teria dito que eu era inesquecível". Explicou que a procurava desde então e a convidou para sair. Ela não podia, tinha agendado um programa com outra pessoa. Ele tentou convencê-la a ir embora; pagaria o dobro, o cliente se arranjaria com outra. Ela não arredou pé, cumpriria o compromisso. Se, por acaso, o rapaz faltasse, voltaria.

Trinta minutos e cinco cigarros mais tarde, viu-a sair acompanhada de um homem bem mais alto e muito mais forte. Apesar da desproporção física, ele atravessou a rua, desculpou-se com o gigante e perguntou se ela viria no dia seguinte. Pâmela respondeu que ainda voltaria naquela noite. Postado feito estátua na praça, ele esperou mais de duas horas. Sentiu fome e frio.

Com os olhos fixos no entra e sai da boate, cruzou a rua para comprar um cachorro-quente na carrocinha estacionada na esquina, quando ela chegou de táxi. Não comprou o sanduíche nem deixou que ela descesse. Assim que entraram no quarto do hotel, ele quis saber quantos programas ela ainda faria naquela noite. "Com sorte, mais dois." Ele abriu a carteira e pagou por eles.

Acordaram às onze da manhã e andaram até a padaria. Ela contou que nascera em Educandos, na periferia de Manaus, e se casara aos dezesseis anos para se livrar do assédio do padrasto. O marido, um comerciante com mais de cinquenta, era tão ciumento que ela não tinha licença sequer para ir ao supermercado sem ele. Nas poucas vezes em que saíam, era ele quem escolhia as roupas dela; na rua, vigiava sem trégua seus olhares, pobre da esposa se houvesse um homem na direção deles. A libertação veio três anos mais tarde, depois de uma surra que lhe quebrou o braço. Ainda engessada, com medo de morrer, ela se aproveitou de um descuido para fugir num dos barcos que fazem a linha Manaus-Belém, quase sem dinheiro, com a roupa do corpo.

Já ele pouco falou de si. A infância e adolescência com os pais num bairro classe média de São Paulo, o emprego no departamento financeiro de um escritório de advocacia, pareceram-lhe insignificantes diante de um passado como o daquela mulher. O único acontecimento que houve por bem relatar foi a surpresa da tarde em que flagrou a esposa nua nos braços de um amigo do casal, trauma que o levou à decisão de se relacionar apenas com profissionais.

Contra o princípio que estabelecera de não sair mais de três vezes com a mesma garota de programa, voltaram a se encontrar nas semanas seguintes. Em pouco tempo, estava enredado, pensava nela o dia inteiro, telefonava, queria vê-la todas as noites, pretensão da qual Pâmela procurava se esquivar.

O sofrimento se agravou quando o ciúme lançou contra ele a flecha preta, como na canção: "Só de pensar que ela estaria trepando com outro, eu perdia o sono. Chegava a levantar da cama, ir para a frente da boate e ficar escondido para ver se ela saía acompanhada". Vê-la aparecer na porta de braço dado com um cliente despertava nele angústias contraditórias: "De um lado, sentia o coração apertado de ciúmes; de outro, ficava morto de tesão. Quando chegava em casa, tinha que me masturbar pensando nela com o cara".

No dia seguinte, ligava para submetê-la a um inquérito policialesco. Queria saber até que horas ficara na boate, com quantos homens havia saído, a que hotel tinham ido, e por aí afora. A tortura só terminava quando ela começava a chorar ou lhe batia o telefone na cara. Ao perceber que a perderia por causa das brigas, decidiu jogar a última cartada: propôs viverem juntos, ganhava o suficiente para tirá-la daquela vida. A reação foi inesperada: "Ela chorou como criança. Depois disse que não ia se iludir, que já tinha sofrido muito. Beijou meu rosto, virou as costas e me largou falando sozinho".

Ele achou que a recusa seria passageira. Não foi, apesar dos recados, presentes caros e da insistência em procurá-la. Só se convenceu da irreversibilidade da separação na noite em que Pâmela lhe pediu pelo amor de Deus que se afastasse. Um cliente delegado tinha oferecido ajuda para livrá-la daquela perseguição: "Sofri feito cachorro, mas fiz o que ela queria".

Nunca mais se encontraram. Nos fins de semana, entretanto, continuava a espreitá-la nas madrugadas do Love Story: "Louco de ciúmes e de tesão".

INTERVALO 5

COLAPSO ASSOCIADO AO EXERCÍCIO

É a principal causa de atendimento nas tendas médicas das maratonas. Representou 59% dos atendimentos realizados em doze anos nas maratonas de Twin Cities.

A parada súbita depois dos 42 quilômetros combinada com a longa duração da prova parece ser o fator desencadeante do colapso. Queda da pressão arterial ao ficar em pé (hipotensão postural) que melhora rapidamente é o sintoma dominante. A maioria dos corredores se recupera com trinta minutos de repouso e hidratação oral, mas alguns necessitam de hidratação intravenosa.

Corredores que sofrem colapso antes da linha de chegada têm maior probabilidade de apresentar previamente um problema médico que precisa de atenção.

Colapso induzido pelo exercício é uma combinação que envolve corredores simplesmente exaustos e uma minoria com agravos mais graves: hiponatremia e insolação. De modo que o termo "colapso" fica reservado àqueles sem causa aparente para entrar em colapso e que logo se restabelecem com hidratação oral ou intravenosa.

EXAUSTÃO PELO CALOR E INSOLAÇÃO

Exaustão pelo calor é uma síndrome caracterizada por exposição ao calor (não necessariamente ao sol) e pelos seguintes sinais e sintomas: fadiga extrema, dor de cabeça, náuseas, vômitos, tontura, dores nos músculos, taquicardia e sudorese profusa. A temperatura corpórea pode estar normal ou pouco elevada.

Insolação, em contraste, provoca aumento de temperatura além de 40,5°C e um quadro neurológico com agitação, dificuldade para andar, convulsões e coma, que requer internação hospitalar.

Na exaustão, o tratamento consiste em hidratação rápida intravenosa, reposição de íons e descanso em ambiente fresco. Na insolação, o foco é outro. Como a morbidade está diretamente ligada à duração e gravidade da hipertermia, o resfriamento rápido do corpo com a finalidade de baixar a temperatura para 39°C é a medida mais urgente. Ele pode ser obtido com ventiladores, atomizadores que borrifam água pelo corpo, sacos de gelo colo-

cados nas axilas, regiões inguinais e de ambos os lados do pescoço, e banhos de água fria. Muitos pacientes precisam ser interna-
dos em unidades de terapia intensiva.

Epílogo

Impossível imaginar quem eu seria hoje se continuasse sedentário como fui no tempo em que fumava.

O homem é o resultado do impacto cognitivo causado pelas ações que praticou e pelas que deixou de realizar, tanto quanto é consequência das lembranças arquivadas na memória e das que foram relegadas ao esquecimento.

Correr maratonas coincidiu com o período mais feliz e produtivo de minha vida, durante o qual pude concretizar os principais anseios da juventude, ao lado de outros que se manifestaram na maturidade.

A primeira infância num bairro operário de São Paulo ficou impregnada em meu espírito como nenhuma outra fase da vida. É possível que o mesmo aconteça com muitos, já que os lugares de nossos primeiros passos nos acompanharão pelo resto da existência. Podemos emigrar para outras cidades ou países distantes, viver décadas circundados pela neve ou sob o sol inclemente, na calmaria provinciana ou na metrópole ensandecida, não faz diferença: as imagens das ruas em que passamos a infância estarão em cada esquina.

Minha geração teve sonhos grandiosos. No movimento universitário dos anos 1960 pretendíamos acabar com a pobreza, com as endemias rurais e o analfabetismo; construir cidades, universidades e um país igualitário, onde o trabalho fosse remunerado de acordo com as necessidades de cada cidadão. A dificuldade de acesso às informações e a fúria repressiva da ditadura militar em que vivíamos abriram caminho para o proselitismo dos líderes que nos acenavam com a utopia do comunismo, como panaceia para nossos males.

Com um grupo de colegas oncologistas, fiz um estágio de três semanas no Instituto Nacional do Câncer, em Moscou, nos tempos da União Soviética, experiência que jogou por terra a percepção ingênua do mundo que eu tinha naquela época. O choque começou na alfândega. O olhar mal-encarado e os gestos autoritários dos guardas incumbidos de nos revistar deixavam claro que entrávamos num país policialesco.

Mal passamos pela porta do hotel, fomos cercados por uma horda de mulheres com cílios postiços, o rosto rebocado de maquiagem e vestidos vaporosos antiquados a ressaltar-lhes os seios fartos, as quais nos convidavam com insistência para um drinque no bar, ao lado da recepção. Eram comandadas pelo funcionário da KGB — o temido serviço secreto — encarregado de acompanhar feito sombra o grupo de médicos brasileiros que acabava de chegar.

No dia seguinte, no centro do anfiteatro do hospital formamos um círculo de curiosos em volta de um aparelho com mais de um metro de altura. Ninguém fazia ideia do que seria aquela geringonça, até que um dos colegas descobriu uma lente escondida entre as hastes de ferro da parte inferior. "É um projetor de slides muito antigo", disse, para incredulidade geral. Achei interessante conservarem uma relíquia daquelas, enquanto nós nos desfazemos de tudo que nos lembre o passado.

Estávamos distraídos em torno do projetor, quando a porta se abriu e entraram oito personagens em formação militar, com aventais compridos que um dia haviam sido brancos, puídos nos punhos e na gola abotoada na metade do pescoço, perfilados atrás do chefe de cabelo repartido no meio e bigodes vastos tingidos de preto. O que tornava sua aparência mais bizarra, todavia, não eram os aventais que lhes chegavam aos pés, mas os chapéus de pizzaiolo na cabeça. Não é que fossem parecidos com os das velhas pizzarias: eram idênticos. Sinceramente, achei que se tratava de comediantes escalados para uma performance de boas-vindas. Estava enganado: o de bigode retinto era o chefe da Clínica Médica do Instituto, que daria a aula inaugural do curso, e os acompanhantes eram seus assistentes. Numa língua que lembrava a inglesa, o professor começou a apresentação com a frase mais consagrada das apresentações médicas: "*May I have the first slide, please?*".* A luz do projetor acendeu acompanhada de um ronco tão forte da ventoinha, que por pouco não abafou a voz do palestrante.

A aula foi uma sucessão de obviedades científicas mostradas com tintas de avanços da medicina soviética. Métodos de tratamento havia muito abandonados no Ocidente eram considerados *state of the art*. Terminada a apresentação, fomos levados para uma sala dominada por um pedestal com o busto de Lênin, de olhar severo. Em nome dos colegas soviéticos, o professor nos convidou para um drinque comemorativo. Prestativos, os assistentes abriram um armário e dali retiraram quatro garrafas de vodca e uma infinidade de copos americanos, que eles se apressaram em encher até a altura do risco. Às nove da manhã de um dia de trabalho, nossos colegas russos esvaziaram seus copos em se-

---

* "Você pode apresentar o primeiro slide, por favor?"

gundos e, disfarçadamente, deram conta dos que deixamos intocados sobre a mesa.

Foi o estágio mais improdutivo que meus colegas e eu poderíamos imaginar. As enfermarias lembravam as dos nosocômios de antes da Segunda Guerra; os que não conseguiam cadeira nas salas de espera aguardavam em pé nos corredores; os funcionários eram estúpidos com os pacientes; os médicos e o pessoal de enfermagem trabalhavam com visível má vontade. A medicina que praticavam era atrasada e corrupta, sem subornar os profissionais os doentes amargavam nas filas.

A visita à União Soviética jogou uma pá de cal nas convicções utópicas que ainda me restavam, bem antes da Queda do Muro de Berlim. Fico chocado quando vejo mulheres e homens da minha geração aferrados até hoje ao marxismo, como se fizessem questão de pertencer ao rebanho de uma seita religiosa. A desilusão causada pela realidade socialista não me afastou do interesse pela sociedade em que vivo nem de um compromisso com ela, o qual não consigo definir com clareza.

O futuro de meus companheiros de jogo de bola na rua Henrique Dias, no Brás, era mais previsível. Tivessem terminado ou não o antigo ginásio, abandonavam a escola aos catorze anos, idade mínima requerida para o trabalho nas fábricas. Escapei do destino operário graças à teimosia de meu pai, que enfiou na cabeça a ideia de que os filhos seriam universitários nem que precisasse trabalhar em dois empregos, das oito da manhã à meia-noite, rotina que cumpriu por décadas, com rigor franciscano.

As imagens dos quartos de cortiço onde se espremiam famílias numerosas, das crianças descalças com o nariz escorrendo, dos mortos velados em casa, das missas de sétimo dia com o genuflexório de madeira, dos homens que levavam suas cadeiras e se reuniam na calçada nas noites de calor para contar histórias da guerra na Europa, e da gritaria das vizinhas em disputa pelo tanque ficaram tão gravadas em minha mente, que desvencilhar-me delas seria renegar as raízes, sem as quais um homem se perde.

Comecei a correr maratonas numa fase em que minhas filhas já estavam crescidas, a vida profissional bem encaminhada, a casa própria adquirida, as participações em campanhas educativas sobre a aids na Rádio Jovem Pan e na 89 FM — a Rádio Rock — ganhavam popularidade, o projeto do rio Negro abria meus olhos para a Amazônia, e o trabalho no Carandiru me punha em contato com o universo da marginalidade. Estava preparado o cenário que me conduziria à vida que levo agora.

Já vivia ocupado com os pacientes e as outras atividades quando acrescentei a obrigação de treinar com regularidade para as provas de 42 quilômetros. Mais tarde, assumiria ainda os compromissos de uma coluna quinzenal na *Folha de S.Paulo* e outra a cada três semanas na revista *CartaCapital*, além de escrever livros, fazer palestras, ir a congressos internacionais, dirigir um site de informações médicas, conduzir séries educativas sobre saúde no *Fantástico*, da TV Globo, e de correr atrás de tempo para conviver com a família.

Cumprir tantos compromissos sem deixar de cuidar das necessidades dos pacientes com câncer que dependem de mim seria de enlouquecer se eu não fosse corredor. Controlar a ansiedade gerada por tantas solicitações, o estresse de atendê-las numa cidade com as características de São Paulo, e manter o preparo físico necessário para os deslocamentos e as viagens de vai e volta em 24 horas que sou obrigado a fazer exige disciplina, equilíbrio psicológico e uma paz de espírito que só descobri ao correr.

Insisto em maratonas sem ter certeza se o esforço exigido para completar 42 quilômetros poderia pôr em risco a vida de um homem com mais de setenta anos. No íntimo, algo me diz que o risco é baixo, bem menor do que os benefícios colhidos, mas sei que faltam estudos com dados confiáveis. Afinal, quantos maratonistas há com essa idade? Não teria chegado o momento de reduzir a intensidade dos treinos e participar de provas mais curtas? Correr dez quilômetros ou os 21 das meias maratonas não seria atividade física suficiente?

Se formos pensar nos benefícios à saúde, nem precisaria tanto: bastaria andar trinta minutos por dia; mas a questão não é essa. Quem descobre a sensação de bem-estar e a euforia que a corrida traz não se contenta em caminhar. Corredores obrigados a encerrar a carreira por causa de lesões articulares só faltam chorar de nostalgia quando falam do passado.

A preparação para provas mais curtas pode ser improvisada em duas ou três semanas; para maratonas, jamais. Ninguém completa 42 quilômetros com meia dúzia de treinos. A vantagem da maratona é exigir a disciplina que me obriga a sair da cama às cinco da manhã, faça frio ou esteja escuro. Sem essa premência acabo relaxando e deixando para o dia de são nunca, como tanta gente faz. Num piscar de olhos acumulo gordura no abdômen e paro de correr. Sedentário com excesso de peso, na minha idade, corro o risco de ficar hipertenso e entrar no torvelinho estressante de obrigações e de compromissos a cumprir sem contar com a válvula de escape do corpo suado, das pernas cansadas e com o baque das endorfinas no cérebro. Pode parecer que exagero, mas esse é o roteiro inexorável que leva às tragédias vividas por muitos amigos e pessoas que acompanhei no exercício da profissão.

Meu tio José guardava pilhas de revistas com histórias de assassinatos misteriosos e detetives de caráter duvidoso, contratados para solucioná-los. Aos oito anos, mexendo nas coisas dele, encontrei uma revista em quadrinhos que nunca mais me saiu da cabeça. Contava a história de Mr. Johnson, que pescava na beira de uma lagoa quando foi atirado para longe por um raio que caiu na água. Depois de algum tempo desacordado, levantou ainda tonto e caminhou para casa com dificuldade. Não quis jantar, disse à esposa que iria deitar porque não se sentia bem.

Na manhã seguinte, acordou calado e pensativo. Por insistência da mulher, descreveu um sonho terrível no qual um trem que tinha saído da Victoria Station, em Londres, colidia em grande velocidade. O som da batida, as imagens dos ferros retorcidos, das pessoas mutiladas e dos corpos destroçados entre as ferragens foram tão nítidas que, ao despertar aflito, demorou a acreditar que não eram reais. Três dias mais tarde, o jornal trazia na primeira página a notícia de um desastre pavoroso envolvendo dois trens. Diante da foto estampada logo abaixo, Mr. Johnson perdeu os sentidos: era exatamente a cena que vira no sonho.

Passados alguns dias, novo pesadelo com dois trens que se chocavam a cinquenta milhas de Londres, com a mesma nitidez de imagens e sons do sonho anterior. Acordou sobressaltado e correu para a estação, decidido a impedir que um dos trens partisse. Falou com o subchefe, com o chefe, com o diretor, com o maquinista e tentou dissuadir os passageiros; em vão. No fim, desesperado, postou-se nos trilhos diante da locomotiva, de onde foi retirado por três policiais. Cinquenta milhas à frente, aconteceu o desastre que ele previra.

Desde esse acidente sua vida virou um tormento. Sonhava com operários que cairiam de andaimes, mineiros que seriam soterrados, crianças atropeladas. Corria atrás das futuras vítimas de suas premonições para avisá-las do que lhes aconteceria; ante o descrédito, agarrava o operário para que não subisse no prédio, o mineiro para que não entrasse na mina, a criança para não atravessar a rua. Não tinha paz, passava os dias transtornado com as visões das tragédias que fazia de tudo para impedir. Acabou preso e internado num hospício.

Às vezes me sinto como Mr. Johnson. Na rua, quando vem em sentido contrário um homem de meia-idade com o cinto afivelado abaixo do abdômen proeminente e o rosto vermelho-azulado dos fumantes, tenho ímpeto de abordá-lo: "Desculpe, mas vai acontecer uma desgraça em sua vida: infarto, derrame cerebral, obstrução de artérias, falência dos rins, não sei. Não sei quando nem qual será, mas vai acontecer".

Vejo a senhora sedentária, filha de pais com diabetes, que engorda vinte quilos na menopausa e sinto vontade de perguntar se não tem medo de adquirir uma doença traiçoeira como a deles. Diante do homem de quarenta anos com várias mortes por infarto na família, que insiste em fumar, comer à larga e passar o dia sentado, preciso me conter para não dizer que seu destino tem grande probabilidade de ser igual ao dos parentes.

Não é fácil para um médico ficar calado quando vê o fumante perder o fôlego ao subir dois lances de escada. Muitos consideram inúteis advertências como essas, propor mudanças de estilo de vida é das tarefas mais inglórias da medicina. Por outro lado, às vezes as palavras calam fundo, com energia suficiente para alterar comportamentos enraizados, embora a mudança nem sempre ocorra no momento em que elas são ditas.

Parei de fumar aos 36 anos, quase um ano depois que o cirurgião Fernando Gentil, trinta anos mais velho, cruzou comigo na entrada do Hospital do Câncer, olhou para meu cigarro e fez a recomendação mais óbvia: "Você precisa parar de fumar, rapaz". Passei meses com essa frase vindo à cabeça cada vez que acendia o próximo, até criar coragem para jogar o maço fora. Estou absolutamente convencido de que cabe ao médico esse papel na sociedade.

No passado, meus colegas viviam em contato direto com a comunidade. Enquanto passavam pela praça, recomendavam que a mãe protegesse o bebê do sol, que a senhora procurasse andar mais ereta, que o garoto lavasse as mãos antes de comer o doce. Com o crescimento das cidades, esse tipo de intervenção pessoal desapareceu. A praça de hoje são os meios de comunicação de massa. Rádio, televisão, internet e o celular criaram a possibilidade de ensinar medicina para milhões de pessoas.

Exerço minha profissão faz quase cinquenta anos. Há dezesseis participo de séries sobre saúde no *Fantástico*, da TV Globo, programa que chega aos rincões mais isolados do país. O tempo que sempre dediquei à clínica, as preocupações com os doentes, as angústias, as noites maldormidas, as férias e os fins de semana que deixei de aproveitar exigiram de mim muito mais do que o faz a televisão. O impacto social do trabalho na TV, entretanto, foi incomparável. De quantos doentes tratei? Quantas pessoas atingi pela comunicação em massa? Quantos fumantes ganharam motivação para largar do cigarro? Quantas pessoas abandonaram a vida sedentária?

Enquanto corro, penso em tudo e em nada, porque depois não lembro do que pensei. O pensamento do corredor é caleidoscópico, é ave irrequieta que, mal pousa no galho, levanta voo outra vez. No meu caso a exceção são as frases que procuro encontrar quando estou envolvido com um tema que preciso comunicar pela TV ou pela internet. Como selecionar a informação científica mais útil e torná-la inteligível aos que não puderam estudar? De que maneira explicar temas complexos com palavras do dia a dia sem perder a exatidão? Num programa de audiência tão heterogênea como o *Fantástico*, de que forma transmitir as informações com clareza e simplicidade sem banalizá-las e desinteressar as pessoas mais cultas?

Por exemplo, numa das séries queria explicar as razões evolutivas pelas quais a vida sedentária do homem moderno contraria as raízes biológicas de nossa espécie, durante milênios agrupada em bandos nômades de caçadores-coletores que dependiam dos deslocamentos para a sobrevivência. No final de uma corrida de vinte quilômetros no Ibirapuera, encontrei a frase que foi ao ar no último episódio e que não canso de repetir: "O corpo humano é uma máquina construída para o movimento".

À diferença de máquinas como o automóvel e o avião, também projetadas para o movimento mas que se desgastam ao executá-lo, o corpo humano se aprimora com a movimentação, tenha um ou noventa anos de idade.

Correr é experimentar a liberdade suprema, é voltar aos tempos de criança.

Uma vez por semana, há 26 anos, atendo doentes em cadeias de São Paulo. A proximidade com os dramas de mulheres e homens que a sociedade considera a escória odiosa que nos tira o sossego nas ruas, trancada feito bicho nas prisões brasileiras, trouxe para mim uma compreensão da vida, do comportamento e da alma humana, que seria inacessível sem essa vivência.

Depois de ver dez homens trancados numa cela de seis metros quadrados, dia e noite, durante meses de tédio, dormindo em turnos sobre folhas de papelão, correr no parque ao amanhecer do dia seguinte é experimentar no corpo a quintessência do significado da palavra "liberdade".

Sair da cama para a poltrona, andar até o banheiro, movimentar o dedo do pé do lado paralisado, ficar livre da sonda nasogástrica e tomar cinco colheradas de sopa são eventos que os pacientes comemoram com grande alegria, porque lhes dão a esperança de que sairão do estado de fragilidade em que se encontram. Atravessada essa fase, no entanto, reassumem o cotidiano sem levar em consideração a saúde, bem ao qual só atribuímos valor se escasseia.

Ainda me surpreendo quando um homem escapa da morte súbita do infarto, faz cateterismo, ponte de safena com circulação extracorpórea, vai parar na UTI por vinte dias, com sonda urinária, cateteres nas veias, eletrodos no peito para monitorização contínua, dor na cicatriz, curativos, complicações pulmonares, sonda na traqueia, respirador artificial, toma antibióticos que provocam náuseas, analgésicos potentes e resiste com bravura. Os limites de resistência do ser humano estão além do que sonha nossa vã filosofia. O que me choca é que, ao emergir restabelecida desse inferno, a pessoa que passou por tal suplício seja incapaz de andar míseros trinta minutos diários.

Mulheres com câncer de mama enfrentam obstinadamente cirurgias mutiladoras que interferem com a autoimagem e a sexualidade, passam pelas náuseas, vômitos e o mal-estar da quimioterapia, perdem o cabelo, cumprem com rigor as sessões de radioterapia e os cinco anos ou mais de tratamento hormonal. Quando explico que andar trinta a quarenta minutos diários reduz em pelo menos 30% o risco de morrer por disseminação da doença, benefício semelhante ao da quimioterapia, ouvem atentas e juram que vão caminhar todas as manhãs. Juramento falso, conto nos dedos as que cumprem a palavra.

Consideramos o corpo humano um presente de Deus para nos servir e dar prazer pela vida inteira. Se, por acaso, ele ousa reagir aos maus-tratos e à tirania de nossas exigências, ficamos revoltados e maldizemos a sorte. Fui médico de um padre que fumou dois maços de cigarro por dia, durante trinta anos. Ao descobrir o câncer de pulmão, blasfemava e ofendia a Deus com palavras de baixo calão capazes de corar qualquer ateu, por ter enviado tamanha provação a um homem que havia dedicado a Ele a vida inteira.

Nos primórdios da epidemia de aids, atendi um rapaz que saía pelo menos duas vezes por semana com os garotos de programa que fazem ponto no Trianon, junto à avenida Paulista, com os quais praticava sexo anal receptivo desprotegido. Quando lhe transmiti o resultado do teste, ficou pálido: "Não é possível. Logo comigo?". A mesma surpresa teve um filho de árabes, no antigo Carandiru, que injetava cocaína na veia com seringa alugada dos companheiros de uma cela vizinha.

Nem todas as reações, entretanto, se apresentam com essa dramaticidade; muitas delas assumem a forma de resignação: "A pressão está alta porque já fiz cinquenta anos"; "Também, com tantos casos de diabetes na família"; "A velhice é uma merda".

Ficar mais velho é inevitável, a alternativa é tão perversa que nem vale considerá-la. Envelhecimento, porém, não é sinônimo de limitações, decadência física, solidão e enfermidades crônicas. De minha parte, se alguma coisa aprendi com as maratonas e os treinos necessários para completá-las, foi não levar a idade em conta. Confrontado com um desafio, procuro ver se me acho em condições físicas e intelectuais e se terei a disciplina para enfrentá-lo; jamais considero o número de anos que juntei, porque a questão da idade vem contaminada por preconceitos arcaicos. Dos tempos em que os jornais traziam na primeira página: "Sexagenário atropelado na avenida São João". Sem mencionar que a expectativa de vida ao nascer de um europeu no início do século XX não passava de quarenta anos. E que Jesus Cristo teria morrido aos 33, dentro da expectativa média na época do Império Romano, da China do século XIX e de diversos países africanos e asiáticos no começo do século XX.

Na fronteira com a Colômbia, Américo, um indígena da etnia Curipaco, disse que sentia dor nas costas ao carpir a plantação de mandioca porque era um homem velho. Perguntei quantos anos tinha, respondeu 35. Quando contei que estava com 65, minha idade então, ficou surpreso: "O senhor é muito velho".

O medo do envelhecimento é um fenômeno moderno. Nossos ancestrais pouco se incomodavam com ele, a probabilidade de morte precoce era muito mais concreta. Na concentração que antecedeu a Maratona de Boston, em 2014, calhou de eu ficar próximo de quatro senhores que conversavam em inglês. O mais velho contou que estava com 76 anos e mais de trinta maratonas corridas; os outros tinham 72 e 71. O que vestia uma camiseta com a bandeira do Japão perguntou quantos anos eu tinha. Quando respondi que estava com setenta, começou a rir: "Sou o mais criança, só tenho 67".

A consciência de que não tenho muitos anos pela frente nem tempo para desperdiçar com futilidades nem interesse por pessoas que não se interessam por mim foi o maior dos benefícios que o passar dos anos me trouxe. À medida que meu horizonte encurta, aumenta a necessidade de me concentrar na busca do essencial, daquilo que me deixa mais feliz.

Na juventude, ia a três festas num sábado e ficava frustrado por ter perdido a quarta. Hoje, a família, os pacientes, as séries que gravo para a TV, as paisagens e as plantas do rio Negro, os livros, os congressos e o tempo para correr e escrever são tão preciosos, que fujo dos jantares e das rodas sociais.

Quando comecei a correr maratonas, achava suficiente participar de uma por ano. No período de julho de 2013 a setembro de 2014 corri quatro: Rio de Janeiro, Buenos Aires, Berlim e Boston, empreitada que me obrigou a treinar o ano inteiro com regularidade espartana. Quanto mais velho fico, mais prazer encontro em correr.

Cheguei aos 72 anos com dois quilos a mais do que pesava ao sair da faculdade, sem doenças crônicas e sem precisar de medicação de uso contínuo, condição que devo sobretudo à genética e ao acaso, mas também ao esforço pessoal. O contato permanente com a morte e com os doentes que lutam para evitá-la me ensinou a levar em conta o prazer de estar vivo, privilégio que tento manter presente em meu imaginário o tempo todo, especialmente nos momentos de adversidade.

Não sou obra de um ser onipotente que controla o universo, mas do encontro casual e aleatório de determinado óvulo com o espermatozoide mais apto daquela ejaculação. Da mesma forma que não existia antes dessa fusão celular, desaparecerei quando soar a hora fatal.

Como meu destino nos anos que restam não será traçado por um mágico transcendental encarregado de me proteger das intempéries, tenho que estar atento ao corpo e ao espírito, não posso tratá-los com displicência preguiçosa.

Não me iludo, sei que a natureza é impiedosa e que a mais indesejável das criaturas passa os dias à espreita, mas, enquanto não bate à porta, tenho pressa para ir atrás dos sonhos que ainda não realizei e para correr pelas ruas enquanto as pernas resistirem.

1ª EDIÇÃO [2015] 13 reimpressões

ESTA OBRA FOI COMPOSTA PELA SPRESS EM MINION
E IMPRESSA EM OFSETE PELA GEOGRÁFICA SOBRE PAPEL PÓLEN DA
SUZANO S.A. PARA A EDITORA SCHWARCZ EM JANEIRO DE 2025

A marca FSC® é a garantia de que a madeira utilizada na fabricação do papel deste livro provém de florestas que foram gerenciadas de maneira ambientalmente correta, socialmente justa e economicamente viável, além de outras fontes de origem controlada.